CB076760

A Voragem do Olhar

Coleção Debates
Dirigida por J. Guinsburg

Equipe de realização – Revisão: Regina Lúcia Pontieri e Cristina Ayumi Futida; Produção: Plinio Martins Filho.

regina lúcia pontieri

A VORAGEM DO OLHAR

MCT
Ministério da Ciência e Tecnologia

CNPq
CONSELHO NACIONAL DE DESENVOLVIMENTO
CIENTÍFICO E TECNOLÓGICO

EDITORA PERSPECTIVA

Direitos reservados à
EDITORA PERSPECTIVA S.A.
Av. Brigadeiro Luís Antônio, 3025.
01401 – São Paulo – SP – Brasil
Telefones: 885-8388/885-6878
1988

Para Marina

SUMÁRIO

Agradecimentos	11
A Bom Leitor	13
1. As Esfinges	15
2. O Artista *Voyeur*	35
3. Olhar de Sobrevôo	49
4. *Persona*	73
5. *Ouverture*	93
6. A Valsa	117
"Ao Correr da Pena" – *José Alencar*	175
BIBLIOGRAFIA	181

AGRADECIMENTOS

O presente trabalho foi apresentado como dissertação de Mestrado à área de Teoria Literária e Literatura Comparada da Faculdade de Filosofia, Letras e Ciências Humanas da Universidade de São Paulo.

Agradeço ao Conselho Nacional de Desenvolvimento Científico e Tecnológico, a bolsa de Aperfeiçoamento com a qual comecei esta pesquisa; e à Fundação de Amparo à Pesquisa do Estado de São Paulo, cuja bolsa de Mestrado permitiu concluí-la.

Gostaria, ainda, de manifestar minha gratidão a Thereza Pires Vara que, orientando-me, não poupou críticas nem economizou afeto, ambos extremamente necessários em todos os momentos. A Boris Schnaiderman, pela leitura rigorosa e a amizade com que sempre pude contar. A José Miguel Wisnik, pela minuciosa e iluminadora argüição. A Ligia Chiappini M. Leite, pela atenção que deu a este trabalho. A Zilda Aparecida Hernandez, que preparou cuidadosamente os originais.

Ao Eduardo, interlocutor arguto, assessor bibliográfico e companheiro. E a minha mãe, que me tem administrado a vida enquanto pesquiso e escrevo.

A BOM LEITOR...

> *En realité, chaque lecteur est, quand il lit, le propre lecteur de soi-même.*
>
> M. PROUST

Meia palavra, antes dos escritos que se seguem. O fato de se destinarem a uma argüição acadêmica responde pelos talvez excessivos apelos a palavras alheias. Que fique clara, porém, sua verdade primeira, sua origem, que é também a chama que os anima: a relação de afeto. Fruto da entrega incondicional de leitor àquilo que lê, não poderia ser outro seu nervo: rastrear os artifícios com os quais um feiticeiro romancista – José de Alencar – enreda e cativa o incauto leitor nas malhas de seu feitiço-romance, *Senhora*.

Daí a importância atribuída ao gesto do olhar. Instrumento e mediação, por excelência, do vínculo entre a mensagem ficcional impressa e seu destinatário, o olho que se lança sobre o texto dá-lhe nova vida, ao revelar pela interpretação mais uma de suas inúmeras facetas.

Senhora talvez seja o romance onde Alencar trabalha o tema da concupiscência do olhar de forma mais sistemática e conseqüentemente. Explicitando a ligação entre prostituição — assunto caro ao romancista e ao dramaturgo — exibicionismo e voyeurismo, o romance não trata mais da mulher-prostituta, como em *Lucíola*, mas — se for possível a expressão — da narrativa-prostituta: um escandaloso e, ao mesmo tempo, dissimulado jogo de mostra-esconde pelo qual a verdade do narrado subitamente se desnuda e, por um átimo, ostenta seu brilho aos olhos do atônito leitor.

Estas reflexões contarão a estória de um olhar procurando ansiosamente comunicar aquilo que vê, à mão que na página deserta corre em busca do sentido que se exibe enquanto foge. E como essa fugacidade vai se acelerando até a carreira vertiginosa, creio que não me dou conta do abismo. Já não sei se o que disse era o que queria dizer. Sinto somente que, para mim, a plenitude do sentido é tão impossível quanto a do desejo. E que, se assim não fosse, deixaria de existir o encanto desse objeto erótico chamado *Senhora*.

1. AS ESFINGES

Como encadernação vistosa, feita
Para iletrados, a mulher se enfeita;
Mas ela é um livro místico e somente
A alguns (a que tal graça se consente)
É dado lê-la. Eu sou um que sabe;

La mujer es secreta:
                Aparencia pintada,
Como libro de estampas para indoctos
Que esconde un texto místico, tan solo
Revelado a los ojos que traspasan
Adornos y atavios*.

Em 1875, pela primeira vez na sua já centenária existência, Aurélia Camargo lançou sobre nós o raio petrificador de seu olhar. Desde então tem sido difícil

---

* Duas traduções do mesmo trecho da elegia *Indo para o Leito*, de John Donne; a primeira é de Augusto de Campos; a segunda, de Octavio Paz.

15

deixar de olhá-la como ela deseja ser olhada, difícil desviar o olhar e perceber algum gesto astuto apagando indícios reveladores que nos levariam a, quem sabe, quebrar o encantamento dos olhos nos olhos. Única saída: olhos fixos nos dela, fisgar com o rabo do olho o que se passa atrás, nos bastidores.

Talvez tenha sido a mais ardilosa das filhas de José de Alencar. Como se, intuindo a fraqueza e a força das irmãs, delas houvesse retido o sumo para realizar com destreza ímpar o destino que o pai lhes prescrevera: bem encantar para melhor enredar. O encanto dessa galeria de beldades, Lúcia, Emília, Aurélia – para ficar apenas nos "perfis de mulher" – para além do esplendor de corpo e vestes; para além do brilho ofuscante do ouro, símbolo da riqueza material que as reveste; seu encanto está sobretudo na própria essência enigmática. Mulheres caprichosas, excêntricas, ambíguas. Mulheres-esfinges, corpos de pedra aprisionando uma espiritualidade volátil e fugidia, em suas bocas dança a pergunta fatal: quem sou? quem me decifrará?

Paulo escreve seu romance com Lúcia tentando desvendá-la aos próprios olhos e aos da senhora a quem entrega posteriormente o manuscrito. Augusto Amaral, num relato fortemente marcado pela perplexidade, conta a Paulo sua estória de amor com Emília buscando com ânsia responder a si mesmo "que esfinge era essa moça de dezoito anos"[1]. O caráter enigmático de Aurélia desnorteia Fernando Seixas e os que com ela convivem. E incomoda-nos a nós, os que a lemos do lado de cá do livro, impotentes para decifrá-la. Pois enquanto o olhar de seu corpo continuar a nos petrificar e paralisar, enquanto a olharmos com os olhos do nosso corpo, ser-nos-á vedado revelá-la, que isso só se faz com os olhos d'alma. Enquanto nosso olhar não conseguir ir além da estátua de ouro que dança diante de nós para nos enganar, enquanto não destruirmos a máscara de brilho e

---

1. ALENCAR, J. *Diva*. In *Romances Ilustrados de José de Alencar*, 7. ed., Rio de Janeiro, J. Olympio; Brasília, INL, 1977, v. 7, p. 134. *Obs.*: Na elaboração das notas a seguir, optei por abreviar o que fosse possível, uma vez que a bibliografia fornece referências completas. Além disso, sempre que no corpo do trabalho houver, em seqüência, mais de uma citação da mesma página de uma obra, o número da nota correspondente aparecerá apenas na primeira das citações.

beleza, estaremos condenados a ignorar o sentido de totalidade, a convivência de contrários que se manifesta através do imediatamente visível.

"Aurélia": aurus, auréola, aranha — aproximações permitidas pela composição fônica do nome e pelas imagens coladas à mulher. Resplendente como o ouro, possuída pelo santo amor, tecedora da teia onde aprisionará o incauto amado.

Que diz o dicionário?

"Aurélia": crisálida de borboleta, medusa... Crisálida, essa mulher se mostra em constante metamorfose. O relato flagra o momento privilegiado de transformação de sua vida: aquele em que a menina se vê em vias de virar mulher, botão se abrindo em flor na estação matrimonial da desflora. Medusa, uma das Górgonas, compartilha com elas o dom de petrificar com o olhar. Para matá-la, Perseu concebeu um ardil. Foi dela se aproximando, lentamente, dando-lhe as costas, recuando, enquanto a olhava através do metal polido de seu escudo... o espelho.

Eis a mulher, eis a narrativa. Constelação de uma infinidade de sentidos possíveis, mulher e palavra trabalham para que seu sentido nunca se feche na univocidade. Pois a astúcia lhes que é da face oculta que a estátua veda ao olhar — como é do lado silente da palavra mascarada — que brota incessante o irresistível poder de sedução que ambas exercem sobre nós, indefesos leitores. Acompanhemos sua trajetória, deixemos que nos enredem e cativem. Lancemo-nos, pois, à aventura da decifração. Confiemos no poder de nossos talismãs, os espelhos... e cruzemos os dedos para que, ao final, nosso esfinge se precipite do alto de sua montanha.

Uma análise comparativa das páginas de abertura dos "perfis de mulher" revela semelhanças e diferenças dignas de nota. O primeiro capítulo de *Lucíola*[2] não fornece dados sobre a trama romanesca. Se distinguirmos entre "ordem do relato" e "ordem do comentário"[3], veremos que o relato só tem início no capítulo II

---

2. ALENCAR, J. *Lucíola*. In: *Romances Ilustrados de José de Alencar*, cit..

3. CHARLES, M. *Rhétorique de la Lecture*. Paris, Seuil, 1977, p. 216.

quando o narrador-testemunha começa a referir sua estória desde o princípio cronológico, o momento em que pela primeira vez aportara no Rio de Janeiro. Esse capítulo, aliás, apresenta notações veristas que são da ordem do verossímil histórico, dados diversos que enraízam a narrativa no real referencial.

A primeira frase fornece um enquadramento espácio-temporal bastante preciso: Rio de Janeiro, 1855. Além disso, há a referência à festa da Glória, o que também vincula a narrativa ao referente. O quarto parágrafo tece considerações relativamente detalhadas sobre a população que freqüenta a festa. É curioso que, aí, o narrador resvala do tom de confidência próprio da narrativa que se desdobrará a seguir, para o da descrição de costumes e tipos locais, causando com isso certo distanciamento e frieza da narrativa.

Quanto ao capítulo I, insere-se na ordem do comentário e, dada a importância que lhe confere o fato de ser introdutório, ostenta um traço que me parece fundamental neste como nos demais "perfis de mulher": sua abertura para o espaço além da obra, a ponte lançada na direção do leitor. *Lucíola* se diferencia de *Diva* e de *Senhora* porque naquele romance a comunicação epistolar entre quem narra – o emissor Paulo – e quem lê o narrado – a senhora G.M., sua destinatária – está incorporada na própria narrativa. Nela há um discurso epistolar prévio em anexo, que contém a resposta de G.M. aos comentários de Paulo no capítulo I.

Em ambas as mensagens, a de Paulo a G.M. e sua resposta, domina o caráter pessoal da relação que os une, provindo disso o cunho de confidência que marca toda a narrativa a qual se fecha, circularmente, numa nova mensagem epistolar confidencial de Paulo. O fato de que a intimidade entre ambos seja relativizada tanto pela distância de sexo e idade – G.M. é mulher e, além disso, idosa – como pela escolha expressa de Paulo privilegiando a palavra escrita em detrimento da oral; esse fato, embora significativo, não invalida o cunho pessoal da relação. Apenas a mediatiza.

No romance de estréia de Alencar, *Cinco Minutos*[4], a relação entre narrador e destinatário é ainda mais pró-

---

4. ALENCAR, J. *Cinco Minutos*. In: *Romances Ilustrados de José de Alencar*, cit., p. 3.

xima do que nos dois primeiros "perfis". Ali, sendo a destinatária prima do narrador-testemunha, a intimidade se acentua com a proximidade etária sugerida pelo grau de parentesco.

Diva oferece algumas semelhanças e outras tantas diferenças. Mantém-se o tom geral de confidência, o narrador testemunha, o anexo anteposto ao início da narrativa e as pessoas envolvidas no circuito comunicativo, Paulo e G.M.. Entretanto, já não há mensagem epistolar embutida na própria narrativa. Ela aparece apenas no texto anexo em que Paulo, escrevendo a G.M., introduz um novo elemento, o doador da nova narrativa que será lida em seguida.

Paulo explica que desta vez os manuscritos são confidência de um amigo seu, o Dr. Amaral, que também refere sua estória de amor. O esquema é o mesmo, aumentando o número de mediadores entre o objeto narrado e nós, do lado de fora do livro: Amaral escreve a Paulo que entrega a G.M. que publica o romance. Aqui fica mais claro algo já insinuado em *Lucíola*. Considerando que a intimidade amorosa absoluta entre os amantes não comporta confidências – por isso, em *Senhora*, a intimidade absoluta, o momento de consumação do matrimônio, é ocultado pelo cerrar das cortinas no final do romance – a confidência de Paulo a G.M. sobre seu segredo de amor com Lúcia representa uma quebra daquela intimidade. Ao receber as cartas, G.M. passa a compartilhar da intimidade do par amoroso a qual, desse modo, se relativiza. Quando G.M. organiza, dá título e publica, com o consentimento de Paulo, essas cartas em forma de livro, esclarece-se o caráter fundamentalmente dúbio da confidência: véu que pudicamente esconde o desejo de inconfidência. Não há como não suspeitar de um segredo que nasceu para ser... revelado em público.

Em *Diva*, reforça-se esse processo pelo aumento do número de mediadores; há um par de olhos a mais flagrando a confidência. Nesse romance, como no anterior, coexistem tons narrativos aparentemente conflitantes. O capítulo I abre com: "Emília tinha quatorze anos quando a vi pela primeira vez"[5], frase perfeitamente ajustada

---

5. *Diva*, p. 104.

ao narrador-testemunha. E o capítulo segue em frente retratando esse patinho feio que é Emília. No quinto parágrafo, porém, lemos que "ninguém caracterizava com mais propriedade esse defeito de Emília do que a menina Júlia, sua prima. Quando as duas se agastavam, o que era freqüente, Júlia a chamava de 'esguicho de gente'". Adiante ainda, o narrador diz que "se lhe falava alguma pessoa de intimidade da família, não lhe voltava as costas como fazia com os estranhos; mas sentia logo uma necessidade invencível de coçar a cabeça, acompanhada por um repuxamento dos ombros"[6]. Para narrar com alguma riqueza de detalhes o comportamento cotidiano da menina na intimidade familiar, a freqüência das brigas com a prima, a diferença de atitude para com os estranhos, é preciso contar com o narrador onisciente. Assim, aqui também, a voz narrativa resvala do ponto de vista internalizado do narrador-testemunha para um ponto de vista externo e onisciente.

Essas considerações sobre a fórmula de abertura dos dois primeiros "perfis" permitem compreender melhor sua diferença com relação a *Senhora*. Neste romance existe ainda um texto em anexo. Entretanto seu tom é bem diverso. Embora também seja publicado por G.M., não é mais uma pessoa fictícia que o assina mas o próprio Alencar. Abole-se a relação pessoal não só porque o emissor é o escritor como também porque o destinatário é um "leitor" qualquer, um dos muitos anônimos que possivelmente lerão a obra. O tom, por isto, é muito frio:

O suposto autor não passa rigorosamente de editor. (...) Em todo o caso, encontram-se muitas vezes, nesta páginas, exuberâncias de linguagem e afoutezas de imaginação, a que já não se lança a pena sóbria e refletida *do escritor* sem ilusões e sem entusiasmos[7].

Alencar fala de si mesmo como de uma terceira pessoa.

Nos anexos de *Lucíola* e *Diva*, ao comentário de ordem moral sobre a estória que se vai ler, acrescentam-

---

6. *Idem*, p. 105.
7. ALENCAR, J. *Senhora*. In: *Romances Ilustrados de José de Alencar*, cit., p. 181 (os grifos são meus).

se informações sobre a proveniência da confidência. Em ambos, a origem é bastante próxima. É Paulo quem conta a G.M; ou Amaral quem conta a Paulo que conta a G.M.. Estamos no terreno das relações pessoais. Em *Senhora*, à impessoalidade que timbra o circuito comunicativo entre o autor e o leitor corresponde a indefinição da proveniência do relato: "... a narração vem de pessoa que recebeu diretamente, e em circunstâncias que ignoro, a confidência dos principais atores deste drama curiososo". A fonte é uma "pessoa", sem qualquer qualificação. O modo de expressar a impessoalidade é ambíguo. Diz-se que "a história é verdadeira". Entretanto, o autor não somente ignora as circunstâncias da recepção da confidência como confessa: "É certo que tomando a si o encargo de corrigir a forma e dar-lhe um lavor literário (...) de algum modo apropria-se não a obra mas o livro".

Aliás, esse anexo fornece justificativas de ordem estética inexistentes nos outros. E o comentário de ordem moral se restringe a um último parágrafo que fala do heroísmo de virtude da heroína. A parte maior está dedicada a problemas estético-literários: além da já referida questão da veracidade de uma narração recebida de outrem mas que é corrigida e trabalhada literariamente pelo escritor; coloca-se ainda o problema do exagero imaginativo do autor, possível causa dos "quadros mais plásticos" e das "tintas vivas e cintilantes"; e a dúvida do autor sobre ser esse exagero mero adorno, preferindo-se explicá-lo como meio do contraste ao "fino quilate de um caráter". Portanto, se se sublinha dessa forma a natureza artística da obra, é porque a noção de "verdade", citada no início, está longe de significar vínculo a algo externo à própria narrativa.

Como já foi visto, a indeterminação do doador do relato e a ignorância das circunstâncias de sua recepção são dados que contrariam a noção simples de verdade. Não discutirei ainda o sentido que ela tem em *Senhora*. Retenhamos, por ora, que, diferentemente do que ocorria nos "perfis" anteriores, onde a pessoalidade da relação de comunicação dava substrato à noção de veracidade do narrado, em *Senhora* o problema adquire outros contornos. Afirma-se a veracidade, entretanto se nega a pessoalidade. Daí ser possível pensar a verdade como problema interno da narrativa, como verdade artística e não mais referencial.

Neste terceiro romance da série, há um outro anexo inexistente nos anteriores. Insere-se ao final, antecedido de uma nota explicativa[8]. Nela se diz que o folhetim do *Jornal do Comércio* havia publicado duas cartas assinadas por alguém de nome Paula de Almeida, tecendo comentários sobre o romance. Em seguida, o mesmo jornal publicou a resposta a essas cartas feita por uma amiga da escritora – alguém de nome Elisa do Vale. O que se publica em anexo é só a resposta. Sem dúvida porque nela Alencar se defende de possíveis ou reais críticas a sua obra.

O curioso, entretanto, é que se no anexo inicial se perde completamente a dimensão de pessoalidade, esta é recuperada no anexo final. Trata-se da correspondência entre duas amigas cujo grau de intimidade é sugerido tanto pelo apelativo "querida" como pelo tom afetuoso do parágrafo de início e de trechos do final, como o que diz: "Não te zangues comigo. Sabes que, ainda mesmo no mês de Maria, sou devota das graças de teu espírito, e admiro o teu talento"[9]. Entretanto, e aqui está a diferença, a relação pessoal se transfere do local de produção da obra – o narrador e seu ouvinte – para o da recepção – as duas leitoras. Cortou-se o cordão umbilical que unia emissor e receptor, mas essa ligação continua existindo na relação dos receptores entre si. Também o caráter abismal do liame entre autor, obra e leitor – antes discernível na produção do manuscrito originário – agora se encontra na recepção do romance acabado. A leitura da obra *Senhora* produz outra – a carta interpretativa – que é lida por alguém que produz a terceira – a carta-resposta interpretativa.

No pós-escrito de sua carta, Elisa do Vale alude ao problema. Como para dirimir possíveis dúvidas, diz que não tem qualquer relação pessoal com o autor: não o conhece nem é sua admiradora. E conclui com o seguinte raciocínio:

8. *Idem*, p. 341.
9. *Idem*, p. 344.

Não pergunto à rosa que me enfeita e à seda que me veste, qual o canteiro ou o tear que produziu essas maravilhas. Da mesma forma não inquiro do livro que cérebro o pensou, que mão o escreveu[10].

Sugere-se a ruptura não só entre o processo de produção e o produto, como entre o produtor e o consumidor. E esse é um dos temas que *Senhora* abordará. A venda do noivo no mercado matrimonial reflete aquela pela qual o produtor aliena, como mercadoria, o objeto de seu trabalho.

Senhora foge a uma tradição a que *Lucíola* e *Diva* obedeceram: a do romance epistolar, constituído na Europa ao longo da segunda metade do século XVIII. Nele não podem faltar os indícios de lágrimas no papel[11], testemunhas do vínculo de intimidade e confidência. *Pamela*, de 1740, é apenas o primeiro da série. Virão em seguida *La Nouvelle Héloise*, de Rousseau, e *Werthers Leiden*, de Goethe. Para o fim do século, a imitação do gênero é febril.

O século que se fecha move-se já – com prazer e segurança – no terreno da subjetividade (...) As relações entre Autor, obra e público se modificam; transformam-se em relações íntimas de privados interessados psicologicamente no "humano", tanto no auto-conhecimento como na introspecção dos sentimentos[12].

Essas afirmações de Habermas explicam perfeitamente a narrativa confidencial a que Alencar se dedicou, em alguns romances, desde a estréia com *Cinco Minutos*.

No último "perfil" fica mais nítida a idéia de que no mundo do dinheiro – o mundo que produz bens como mercadoria – também a obra de arte se torna mercadoria: produto tornado impessoal ao se alienar de seu produtor. Paralelamente, descobre-se que não estando o ponto de vista fixado numa personagem determinada, sendo móvel o foco de narração, reforça-se a noção de impessoalidade. A natureza mediatizada do vínculo pessoal redunda no estabelecimento e generalização de re-

10. *Idem*, p. 344.
11. *Lucíola*, p. 96.
12. HABERMAS, J. "A Família Burguesa e a Institucionalização de uma Esfera Privada Referida à Esfera Pública". In: CANEVACCI, M. (org.). *Dialética da Família*. 2. ed.. São Paulo, Brasiliense, 1982, p. 233.

lações humanas reificadas. Manifestação clara desse processo é o surgimento da opinião pública – entendida como média das opiniões individuais – que em *Senhora* será uma importante voz narrativa.

Vejamos mais de perto a questão do narrador nos "perfis de mulher". "O narrador – diz W. Kayser – é um personagem de ficção no qual o autor se metamorfoseou"[13]. A passagem do narrador-personagem que faz confidências – Paulo e Amaral – para aquele que fala sem ponto fixo de referência, que se desloca não só dentro da narrativa, mas também para fora dela, essa passagem parece poder ser entendida como resultado de um processo de maturação técnica de Alencar.

É preciso, entretanto, ter em mente que os recursos técnicos retiram seu valor dos efeitos mais gerais visados pela obra[14]. Assim, considerar que entre narrador-testemunha e o narrador que convencionarei chamar de "dissimulado" haja evolução técnica, não implica dizer que o segundo seja, em si mesmo, mais eficiente que o primeiro. Trata-se somente de verificar que, para o tipo de relato em questão, o ponto de vista móvel é mais efetivo que aquele que, personalizando-se, mantém-se fixo.

Nos três "perfis", Alencar trabalha o tema da mulher incompreensível. O narrador-testemunha, pela própria natureza da relação pessoal e íntima que o liga a sua destinatária, tem algum compromisso com a verdade dos fatos. Compromisso reforçado pelo fato de ser mulher e idosa, a destinatária dos manuscritos: seria inadmissível a um narrador honrado tentar enganar a senhora que o lê. Paulo e Amaral procuram decifrar suas estranhas amadas, para descobrir-lhes o sentido. Entretanto, o compromisso com a verdade restringe as possibilidades de ambigüidade do relato e acaba prejudicando o efeito a atingir: o de manter suas leitoras – e, indiretamente, o leitor – sempre em estado de dúvida.

Além disso, a coexistência do tema da mulher incompreensível com o narrador-testemunha cria problemas de coerência interna. Vejamos alguns exemplos em

13. KAYSER, W. "Qui raconte le roman?" *Poétique* nº4, Paris, Seuil, 1970, p. 504.

14. BOOTH, W. "Distance et point de vue". *Poétique* nº 4, cit., p. 512.

Lucíola. Paulo escreve sua estória seis anos após a morte de Lúcia. O que implica num desdobramento do narrador-testemunha entre o que viveu os fatos passados e aquele que, no presente da enunciação, recupera-os pela memória. O problema começa aí. Comprometido ao mesmo tempo com a verdade do narrado e com a tentativa de provocar na sua destinatária – e também no leitor – o mesmo efeito de perplexidade que ele próprio sentira no seu relacionamento com Lúcia, Paulo acaba tendo que se explicar freqüentemente para desfazer a impressão de incongruência de sua forma de narrar.

Na carta que encerra o relato, ele relembra a felicidade que foi Lúcia para ele. Confessa-se completamente amante e possuído por ela: "Onde quer que eu esteja, a sua alma me reclama e atrai..."[15]. No capítulo III quando a sós com Lúcia, em casa desta, Paulo olha com ardor o início do seio da moça o qual se desnudara por um movimento involuntário. Comentando o rubor de Lúcia ao perceber o olhar indiscreto, Paulo diz:

<blockquote>Se eu amasse essa mulher, que via pela terceira ou quarta vez, teria certamente a coragem de falar-lhe do que sentia (...) mas tinha apenas sede de prazer; fazia dessa moça uma idéia talvez falsa...[16]</blockquote>

Ao Paulo que escreve – amante e conhecedor da sublimidade do caráter de Lúcia – fica estranho que, relembrando-a, trate-a com tal frieza: "essa mulher", "essa moça". É estranha também a referência hipotética "se eu amasse essa mulher" sem algo que a relativize, mostrando sua relação com o presente da enunciação que é o do Paulo confessando seu amor. Sobretudo, não é cabível que após seis anos da morte da amada, ele nos diga que fazia dela uma idéia "talvez" falsa. Esse "talvez" seria compreensível numa situação em que não houvesse tanta distância entre as duas temporalidades; ou se o narrador não fosse testemunha; ou ainda se o ponto de vista se estruturasse como fluxo de consciência, caso em que a narrativa se faz concomitantemente à vida.

Confronte-se a mencionada situação ao que acontece em *Senhora*, onde o narrador – não mais testemunha

15. *Lucíola*, p. 97.
16. *Idem*, p. 8.

— desloca constantemente o ângulo de visão para diferentes pontos do relato. A freqüência de modalizantes do tipo "talvez" ou "parece que", partindo de uma voz que calculadamente se metamorfoseia, é somente um dos modos de manifestação da técnica de prender o leitor pelo engano deliberado.

Em *Lucíola*, o desajuste entre narrador e narrado responde pelas recorrentes tentativas de justificação. Ao final do capítulo IV, Paulo diz a sua confidente:

> Conto-lhe estes fatos, como se escrevesse no dia em que eles sucederam, ignorando o seu futuro; entretanto, talvez que, apesar disto, compreenda as palavras equívocas e as causas ocultas que naquela ocasião resistiram à minha perspicácia. Mas a senhora lê, e eu vivia; no livro da vida não se volta, quando se quer, a página já lida, para melhor entendê-la; nem pode-se fazer a pausa necessária à reflexão[17].

Paulo chama a atenção de G.M. para a dubiedade dos fatos que vivia. O relato persegue o efeito de ambigüidade que fica, entretanto, prejudicado pela ingenuidade do narrador: confessa que conta fatos passados afetando ignorar seu futuro. E mais: "a senhora lê, diz ele, e eu vivia; no livro da vida não se volta". Porém, ao recuperar o passado pela memória, ao fazer do vivido o refletido e relatado, nada mais faz do que voltar no livro da vida. Na carta ao fim do romance, nova justificativa:

> É porque, repassando na memória essa melhor porção de minha vida, alheio-me tanto do presente que revivo hora por hora aqueles dias de ventura, como de primeiro os vivo, ignorando o futuro, e entregue todo às emoções que sentia outrora[18].

A saída para o desajuste é alegar que relembrando o vivido, o rememorante se aliena nele tão completamente que... se esquece de que o está relatando.

Diva tenta corrigir a impropriedade reduzindo ao máximo a distância temporal entre enunciação e enunciado. É engenhosa a resposta de Alencar ao problema. Altera-se a estrutura romanesca, construindo uma narrativa com dois desfechos, que se manifestam por diferentes tempos de enunciação. O primeiro, na frase final

17. *Idem*, p. 14.
18. *Idem*, p. 97.

do capítulo XVII: "Eis a história do meu primeiro e talvez único amor, Paulo: precisava derramar no teu seio as lágrimas que ainda *neste momento afogam* meu coração"[19]. O segundo, no fim do romance: "Enfim, Paulo, eu ainda a amava!... Ela *é* minha mulher"[20]. Entre os dois momentos, Amaral declara não amar Emília, como fizera Paulo com relação a Lúcia. A diferença é que posteriormente, reportando sua declaração, Amaral acrescenta: "Fui sincero nesse momento", em que o complemento temporal – "nesse momento" – relativiza a afirmação e dá coerência ao segundo desfecho: "... eu ainda a amava". Além disso, a confissão da verdade é de Amaral para Paulo, e a frase "eu já não a amo"[21] é de Amaral para Emília. Donde ser perfeitamente verossímil pensar que o rapaz não pretende afirmar uma verdade, mas castigar a moça além de realizar simbolicamente o que não conseguira fazer de fato: livrar-se de uma relação de cativeiro. Se lembrarmos que a fala de Paulo – "se eu amasse essa mulher" – não é dirigida a Lúcia mas à leitora G.M., perceberemos melhor o grau de amadurecimento técnico.

A penúltima frase do capítulo XVII arma o nó que o segundo desfecho vai desatar: "O que eu sinto agora é só um desejo frio de vingar-me e pagar a Emília desprezo por desprezo"[22]. A tentativa de vingança de Amaral dará à moça a oportunidade de enredá-lo novamente, irritando-lhe os brios a ponto de fazê-lo perder o autocontrole e subjugá-la fisicamente, quando então ela confessa seu amor.

O segundo desfecho se realiza nos três últimos capítulos onde a mistura entre o vivido e seu registro escrito se manifesta na freqüência do emprego do presente do indicativo. No capítulo XVIII, lemos: "Pensava ter concluído esta carta, mas não, Paulo! Tornei a vê-la! É passado um mês (...) Foi há três dias que a vi pela primeira vez depois do nosso rompimento". O tempo presente, referido na última frase do livro – "ela é minha mulher" –, funde-se a tal ponto com a vivência do mês

---

19. *Diva*, p. 161 (o grifo é meu).
20. *Idem*, p. 167 (o grifo é meu).
21. *Idem*, p. 160.
22. *Idem*, p. 161.

que passou desde o primeiro desfecho, que Amaral se mostra cada vez mais confuso. As distâncias temporais vão diminuindo: "há três dias que a vi pela primeira vez"; "volto de sua casa"; "são onze horas... recebo agora esta carta...".

Considerando *Diva* como um exercício de decifração do enigma Emília, é possível pensar a construção do relato como a perplexa tentativa de Amaral no sentido de ordenar dados cada vez mais carentes de lógica. No segundo final, a perplexidade aumenta na razão direta da proximidade e quase fusão das duas temporalidades. A ponto de as duas últimas frases do livro apresentarem uma peculiaridade bastante interessante. Mais do que fecho de uma sucessão de acontecimentos que finalmente se perfazem, mais do que um final feliz típico, coroado pelo casamento; elas apontam para um final em aberto, um desfecho que não fecha nada. O fato de que Amaral se case com Emília não conclui a estória de sua tentativa de decifração. Pois a afirmação "enfim, Paulo, eu ainda a amava", partindo de alguém que, poucas frases antes, dissera ser esse amor "uma infâmia"; junto ao modo como é dita – "enfim, Paulo...";é mais a confissão do malogro da aventura edípica de Amaral – e, em consequência, da vitória da mulher que o captura – do que a conclusão da aventura. Enfim, leitor, o enigma continua indecifrado, e o livro se acabou.

Alencar demonstra sensibilidade para o problema da necessidade de exigir do leitor uma postura mais ativa na relação com a leitura. Na crônica de 4 de março de 1855, de *Ao Correr da Pena*, imaginando como seria o exame de consciência de uma menina pura e inocente, o cronista conclui que o achado de algum pecadinho faria a jovem "enrubescer as faces cor de..." E suspende nas reticências o leitor, a quem se dirige provocativamente dizendo: "Arrependi-me! Não digo a cor. Reflitam e advinhem se quiserem. Tenham ao menos algum trabalho em lerem, assim como eu tenho em escrever"[23].

---

23. ALENCAR, J. *Ao Correr da Pena*. In: *Teatro Completo*. Rio de Janeiro, Serviço Nacional de Teatro, v. 1, p. 142.

A intuição da relação dinâmica entre autor, obra e leitor data, entretanto, de mais longe. Referindo-se ao ofício infantil de "ledor" de novelas no círculo íntimo das mulheres da família, Alencar afirma:

> Se a novela foi a minha primeira lição de literatura, não foi ela que me estreou na carreira de escritor. Esse título cabe a outra composição, modesta e ligeira, e por isso mesmo mais própria para exercitar um espírito infantil. O dom de produzir, a faculdade criadora, se a tenho, foi a charada que a desenvolveu em mim...[24]

Amante de artes divinatórias, Alencar não podia abafar o estro profundo. Ao fazer seus romances pensava, talvez, em charadas: sistemas cifrados de conhecimento que só se abrem a olhos que transpassam adornos e atavios.

Em *Senhora*, o desaparecimento do narrador-testemunha e do destinatário pessoal cria uma situação em que narrador e leitor só enxergam um ao outro como vultos descarnados, já que não mais personalizados. Quem lê a obra é um "leitor" anônimo. Quem a escreve é um narrador sem nome, que no entanto se apresenta algumas vezes como um "eu" – modo pelo qual disfarça e relativiza sua onisciência. Essas metamorfoses só permitem captá-lo em traços fugidios. Seu campo de atuação é mais amplo que anteriormente. É verdade que ele privilegia o ponto de vista de algumas personagens mais do que outras: Aurélia, em primeiro lugar; Seixas em seguida; finalmente os outros. Mas há momentos em que mesmo Lemos – personagem que encarna todos os vícios da moral de mercado – apresenta uma visão de mundo que, embora desdita pela voz dominante no relato, é perfeitamente coerente consigo própria. Senão vejamos.

Lemos tece reflexões sobre a possibilidade de sucesso de seu empreendimento junto a Seixas do seguinte modo:

> Não se recusam cem contos de réis (...) sem uma razão sólida, uma razão prática. O Seixas não a tem; pois não considero como tal essas palavras ocas de tráfico e mercado, que não passam de um disparate. Queria

---

24. ALENCAR, J. "Como e Porque Sou Romancista". In: *Romances Ilustrados de José de Alencar*, 7. ed., Rio de Janeiro, J. Olympio; Brasília, INL, v. 1, p. LXIX/LXX.

que me dissessem os senhores moralistas, o que é esta vida senão uma quitanda? Desde que nasce um pobre diabo até que o leva a breca não faz outra cousa senão comprar e vender? Para nascer é preciso dinheiro, e para morrer ainda mais dinheiro. Os ricos alugam os seus capitais; os pobres alugam-se a si, enquanto não se vendem de uma vez, salvo o direito do estelionato[25].

Por mais desafinadas que essas palavras sejam com relação ao tom geral do romance, o narrador não as desdiz. Limita-se a observar que Lemos estava "convencido de que Seixas não tinha o que *ele chamava* uma razão sólida para rejeitar o casamento proposto"[26]. Astuto gesto de lavar as mãos quanto à moral da personagem, sem contrariá-la. Tanto o raciocínio de Lemos é correto que, em seguida, suas previsões se realizam. Seixas, que da primeira vez o despedira com uma negativa terminante, procura-o alguns dias depois para aceitar sua proposta.

A forma como o narrador se dirige ao leitor para referir esse fato é eloqüente: "Não sei como pensarão da fisiologia social de Lemos; a verdade é que o velhinho não mostrou grande surpresa quando uma bela manhã veio dizer-lhe seu agente que o procurava um moço de nome Seixas". Eximindo-se de qualquer responsabilidade ("não sei como pensarão... a verdade é que..."), o narrador delega ao leitor a função de julgar o procedimento da personagem. A questão do compromisso com a verdade dos fatos, que freqüenta todo o romance, encontra-se desde o primeiro capítulo numa situação semelhante à descrita acima. Assumindo o ponto de vista do público, o narrador conta o que se dizia de Aurélia em sociedade, concluindo que "dizia-se muita cousa que não repetirei agora, pois a seu tempo saberemos a verdade..."[27]. O romance nos mostrará que a verdade é algo dúbio porque sempre cambiante, totalidade decomponível em inúmeros fragmentos.

Internalizando vozes de diversos tons, a narrativa as organiza de modo a fazer da dissonância um elemento significante, cuja função é apontar o avesso do relato, desnudando-lhe a ficcionalidade. E é justamente Lemos

---

25. *Senhora*, pp. 207/208.
26. *Idem*, p. 208.
27. *Idem*, p. 182.

o autor da denúncia. Afeito mais do que ninguém ao sistema de mercado vigente na Corte fluminense, o tutor está suficientemente distante do mundo da convenção literária, para enxergar-lhe o fingimento. E assim, depois de dizer que, na quitanda da vida, todo homem tem seu preço, conclui "que os escritores para arranjarem lances dramáticos e quadros de romance, caluniavam a espécie humana atribuindo-lhe estultices desse jaez..."[28]

Além das mudanças internas do ponto de vista, há outro tipo de deslocamento referente às alternâncias entre proximidade e afastamento do narrador em relação aos fatos. Por vezes se aproxima do narrado com toda a força da onisciência. Por exemplo, ao descrever Seixas em sua casa de solteiro, ou ao referir a estória dos pais de Aurélia. Ou ainda quando, no momento capital do relato – a cena na câmara nupcial – paralisa os atores transformando-os em estátuas. Outras vezes, ao contrário, distancia-se a ponto de nos dizer, a propósito do procedimento de Aurélia, que "limita-se a referir o que sabe, deixando à sagacidade de cada um atinar com a verdadeira causa de impulsos tão encontrados"[29]. Tal como ocorre com a heroína em relação ao amado, a técnica de se afastar, fingindo-se ignorante, visa a compor os silêncios, lacunas que o leitor deverá preencher com a própria imaginação.

A sagacidade do narrador que se disfarça está em calcular os espaços de atuação do leitor. São freqüentes as frases do tipo: "Quem observasse Aurélia naquele momento, não deixaria de notar a nova fisionomia que tomara o seu belo semblante..."[30], que motram que o percurso da leitura é previsto: devemos atentar, como que "naturalmente", para a fisionomia da moça. Nada é imposto; aparentemente, ninguém nos dirige: os cordéis nos movem à distância.

Resta fazer duas observações quanto à terminologia aqui empregada. A primeira se refere ao narrador acima descrito, o qual optei por chamar de "dissimulado". Wayne Booth fala de narradores "indignos de confiança", ressalvando que não são mentirosos mas apenas

28. *Idem*, p. 207.
29. *Idem*, p. 289.
30. *Idem*, p. 191.

"suscetíveis de enganar"[31]. A análise de *Senhora* será baseada na idéia do engano deliberado como estratégia de sedução praticada tanto pela heroína, para capturar o amado, como pela narrativa, fazendo o mesmo com o leitor. Para sublinhar a semelhança dos procedimentos ardilosos do narrador e de sua protagonista, qualifiquei-os de dissimulados. Batizá-los de indignos de confiança não recuperaria a dimensão de fingimento e teatralidade de suas metamorfoses ao longo do romance. Essa denominação poderia, além disso, dar uma idéia falsa de suas intenções. Pois o que pretendem não é ocultar a verdade, mas mostrá-la a meio para excitar a curiosidade de suas "vítimas". Para mostrar-lhes o quanto é tortuoso o caminho que leva a ela e o quanto sua busca exige atenção e astúcia para evitar as armadilhas das aparências da verdade.

A segunda observação diz respeito ao leitor cujo papel, como já disse, é previsto pela leitura. Gérard Genette usa o conceito de "narratário" para descrevê-lo[32]. Preferi, no entanto, conservar o termo "leitor", não só por encontrar respaldo em outros críticos, mas sobretudo por ser empregado pelo próprio Alencar. Lembro, todavia, que se trata sempre de um papel narrativo que não se confunde com o leitor empírico, como salienta Genette. Feita essa ressalva, creio não haver maior problema na expressão "nós, os leitores" que aparece com freqüência no decorrer deste trabalho, exatamente para enfatizar o papel ativo que Alencar reserva à recepção.

A propósito, há ainda outro traço que permite distinguir *Lucíola* e *Diva*, de *Senhora*. Aqueles são casos de confissão; esse é um caso de decifração. Nas confissões de Paulo e Amaral, a verdade é doada por quem confessa, ainda que seja a verdade da perplexidade ante o caráter insolúvel do enigma. A espontaneidade da doação sustenta o elo de confiança entre emissor e receptor. Na decifração, a verdade – ostentando-se como sistema cifrado – desafia o leitor a que se lance a ela para arrebatar-lhe o sentido. O fogo da paixão de conhe-

---

31. "Distance et point de vue", cit. p. 521. O autor vincula o narrador indigno de confiança à ironia, o que pode explicar boa parte do tom narrativo de *Senhora* e mesmo de outros romances urbanos de Alencar.

32. GENETTE, G. *Figures III*. Paris, Seuil, 1972, p. 265.

cimento, que Lúcia e Emília acenderam em seus amados, deverá em *Senhora* passar para a relação da narrativa com seu leitor.

2. O ARTISTA *VOYEUR*

Um traço marcante da ficção urbana de Alencar é a prioridade do olhar como mediador, por excelência, da relação do sujeito com o mundo. Esse voyeurismo se expressa de modo vário nos romances. As cenas que se passam no teatro mostram-no como lugar para onde se vai não só para assistir à representação do palco mas, sobretudo, para ver os freqüentadores e ser visto por eles[1]. No passeio público, a prática do voyeurismo/exibicionismo se dá tanto entre as pessoas, como entre elas e as mercadorias da vitrinas, também expostas à gula do olho. E, como a vitrina, a janela da casa é local de exibição; só que exibe – e muitas vezes põe a perder – a mulher. Isso acontece, por exemplo, numa peça teatral, *As Asas de um Anjo;* mas também em *Senhora*, romance

---

1. Isso ocorre em *Cinco Minutos* e em *Lucíola*, por exemplo. Balzac é, possivelmente, o inspirador de tais cenas, comuns na *Comédia Humana*.

ao qual a ocularidade imprimirá uma dimensão teatral, como veremos adiante. Será sobretudo para o olho do leitor, avidamente atento à representação na narrativa, que a heroína Aurélia, bem como o narrador, prepararão cuidadosamente seus truques. O romance ilustra uma visão de mundo para a qual o conhecimento e a criação artística são resultado do mais refinado gesto de cultura, o ato de olhar.

Uma das crônicas de *Ao Correr da Pena*, a de 6 de maio de 1855, produção do jornalista de vinte e seis anos, que ainda não publicara romances, exemplifica essa visão. Sua análise permitirá compreender em que sentido se privilegia o olhar*. De modo geral, nas crônicas de Alencar predominam o tom leve e brincalhão e a técnica de, num só pulo, saltar do cotidiano mesquinho para os altos pincaros do imaginário sem freios. O que, aliás, relaciona-se com uma de suas metáforas recorrentes: a da crisálida – o cronista obrigado pelas circunstâncias a falar das banalidades da vida da Corte – que rompe o casulo e lança a imaginação às alturas da borboleta.

O tema da ocularidade é abordado em dois momentos. No primeiro, a metáfora de Alphonse Karr – "les yeux sont les fenêtres de l'âme" – fornece uma deixa para a demonstração da existência de tipos psicológicos diversos, segundo as diferentes formas de olhar. No segundo, o tema toma conotação mais claramente artística e literária: a luneta mágica, que o acaso põe na mão do escritor, é outra forma de consagrar a soberania do ponto de vista na arte. A liberdade criadora consiste em que o artista pinte o mundo segundo lhe revelem seus próprios olhos. A arte, assim, não poderia copiar o real porque entre este e aquela há um olho que refrata a luz, transformando-a em imagem.

Nas crônicas aparece freqüentemente o tema do olhar feminino enquanto meio de sedução e perdição, através da dissimulação, do disfarce, da mentira. A de 3 de junho de 1855 mostra, por meio do estribilho de uma ária de ópera, que a mulher usa calculadamente seu

---

* Para facilitar a consulta, transcrevo no final deste trabalho o trecho mais importante dessa crônica (pp....).

olhar, primeiro como promessa, depois como desengano[2]. Nada de incomum para a época. Prosper Mérimée criara sua andaluza Carmen em 1845. A ópera cômica em que Bizet reapresenta Carmen é do mesmo ano da publicação de *Senhora*, 1875. *Carmen* se tornou célebre também no teatro. E a atualidade do assunto se evidencia pelas recentes recriações cinematográficas.

No conto de Mérimée, o que primeiro atrai o narrador são os "olhos enormes"[3] da banhista que se senta ao seu lado. Na conversa, ao saber que tratava com uma cigana, ele se diz "tomado de horror, ao ver-me ao lado de uma feiticeira"[4]; no entanto sentia "certa atração, feita de curiosidade" pois tinha interesse pela "arte da magia entre os ciganos". Os olhos da cigana lhe permitem tanto seduzir o cristão Dom José até levá-lo à perdição do crime, como adivinhar o futuro. Ela prevê que José a matará e será morto em seguida. No último capítulo, o narrador faz várias considerações a respeito da origem e idioma dos ciganos cujos olhos, diz ele, são "oblíquos, bem talhados, muito escuros (...) sombreados por cílios longos e espessos"[5]. E aqui, não há como não lembrar da feiticeira Capitu, a dos olhos "de cigana oblíqua e dissimulada".

Configurado desse modo, o tema é constituído pelos tópicos: olhar feminino – feitiço – magia – sedução – perdição – adivinhação – domínio. Etimologicamente, "carmen" remete a "canto" e "encanto": arte, feitiço e sedução. Em *Diva*, por exemplo, Emília exerce sobre Amaral um domínio tão absoluto que no final do romance, poucas linhas após concluir que amar aquela mulher "seria uma infâmia", o rapaz confessa sua impotência: "Enfim, Paulo, eu ainda a amava!" Emília, como Aurélia, faz do olhar o instrumento de posse, vigilância e sedução do amado.

De modo mais amplo, essas mulheres são da estirpe da mulher fatal cuja encarnação talvez mais típica seja a

---

2. *Ao Correr da Pena*, pp. 196/197.
3. MÉRIMÉE, P. *Histórias Imparciais*. São Paulo, Cultrix, 1959, prefácio de Paulo Rónai, p. 84.
4. *Idem*, p. 8.
5. *Idem*, p. 122.

Cecília de Eugêne Sue[6]. Cecília é um tenebroso exemplo de como uma mulher astuta, aliando a ostentação do corpo ao modo sedutor de olhar, pode vitimar um homem exacerbando-lhe a paixão dos sentidos até ultrapassar o limite do suportável. Sua técnica consiste em prometer e oferecer, ao mesmo tempo em que nega e proíbe o amor[7]. Em todos esses casos, obviamente, há um componente de sadomasoquismo mais ou menos acentuado.

A visista relatada na crônica de maio de 1855 traz outras revelações. Percebe-se que já existe na mente do jornalista um "plano de estudo sobre as janelas d'alma". A idéia dos "perfis de mulher", onde se trabalha o tema do olhar, germina muito antes de sua efetiva realização a partir da década de 1860.

Interessa para este estudo também a referência à natureza feminina da alma. Talvez essa seja uma das explicações da preferência dada às heroínas como porta-vozes do romancista. Os tipos psicológicos de maior profundidade, as contradições mais fundas, são encarnados por mulheres. O conflito nascido da consciência da dualidade entre corpo e alma é o motor a partir do qual o romancista procura a impressão de vida própria que emana de suas criaturas, principalmente Lúcia e Aurélia. Nelas, a profundidade é tirada, entre outros, de sua capacidade de dissimulação: ocultam a alma – e, por conseguinte, seus cálculos e desígnios – através de olhares inescrutáveis.

Entretanto, diz a crônica, além de mulher, a alma é vítima da curiosidade, "o mal de Eva". Na tradição cristã, a expulsão do Paraíso decorre, sobretudo, do pecado cometido pela mulher. Em resultado, o homem deverá sobreviver com o trabalho de seu corpo, enquanto à mulher caberá garantir a sobrevivência da espécie do mesmo modo. Para Alencar, o pecado, motivando a

---

6. Como estou me referindo apenas aos exemplos mais próximos de Alencar, não citei *Manon Lescaut* de Prévost, obra de 1731 que Paulo Rónai, em seu prefácio, aproxima à de Mérimée, pois nelas "o amor aparece como uma força elementar da natureza, um flagelo que arrasta suas vítimas num furacão de loucura e de crime, com implacável determinismo". Cit. p. 13.

7. SUE, E. *Los Misterios de Paris*. Barcelona, Bruguera, 1974, pp. 655 e 671.

queda do Paraíso à terra, implica na encarnação da mulher, e portanto de sua existência corpórea sexuada.

Historiando o controle de sexo e casamento feito pela Igreja ao longo da Idade Média, Marilena Chauí refere que os pecados que mais atormentam Santo Agostinho são "a concupiscência da carne (a luxúria), a dos olhos e dos perfumes, a gula e a ambição do mundo (poder)". Mas a tentação lhe vem ainda de outro pecado, tão grave quanto a luxúria:

a curiosidade, o desejo de tudo saber, de conhecer pela razão os mistérios da fé (...) Santo Agostinho percebe a relação entre desejo de saber e sexo (pela via do prazer), donde a necessidade de conter a curiosidade, tanto dos olhos como do intelecto...[8]

Em Alencar, o tema do olhar é desenvolvido simultaneamente nas duas vertentes acima referidas: a concupiscência da carne manifestada tanto no olhar que desnuda a corporeidade, como no corpo que se exibe ao olhar; a luxúria do espírito que é curiosidade intelectual, desejo de conhecimento e decifração, olhar com os olhos d'alma. Pelo olho, ambos os pecados se cometem; sexo e conhecimento se regem pelas mesmas leis da proibição e de sua transgressão. O termo "encarnação" tanto pode remeter ao vulto que toma corpo e se torna ser sexuado, como à paulatina concretude que o real abstrato vai adquirindo pelo processo de conhecimento. Não é demais lembrar que a idéia de "encarnação" fornece o título do romance póstumo de Alencar onde se descreve o processo pelo qual uma mulher, transformando-se em outra, já morta, vivifica-a.

O sentido do olhar, na dimensão sexual, se encontra muitas vezes fundido ao do paladar. Paulo compara o prazer causado pela visão de belas mulheres "ao do gastrônomo, que antes de sentar-se à mesa belisca as iguarias que vão se ostentando aos olhos gulosos"[9]. Em

---

8. CHAUÍ, M. *Repressão Sexual*. São Paulo, Brasiliense, 1984, pp. 96-97.

9. *Lucíola*, p. 15. Referindo-se à estética da oralidade no Romantismo, Affonso Romano de Sant'Anna mostra que a distinção entre a mulher esposável e a desfrutável se manifesta nas metáforas da mulher-flor – bela para ser vista – e da mulher-fruto – agradável ao paladar. Cf. *O Canibalismo Amoroso*, São Paulo, Brasiliense, 1984, p. 21. Em *Lucíola*, a

Lucíola, aliás, é muito clara a relação entre sexo e conhecimento. À tentativa de conhecer, em sentido intelectual, os desígnios da mulher, Paulo acrescenta o desejo de conhecimento, no sentido bíblico – conhecimento do corpo. Eis o diálogo travado entre ele e Sá a respeito de Lúcia: "– Eu já a conhecia." / " – De vista." / " – Na frase da escritura, Sá"[10]. Sexo e conhecimento são, assim, dois fios que formam um só nó. As heroínas alencarianas não são despudoradas só porque, de algum modo, tiram partido da ostentação de sua beleza e riqueza. Mas sobretudo porque exibem, pela palavra crítica, o conhecimento dos mecanismos sociais contra os quais se colocam. Essas mulheres são, invariavelmente, leitoras de romances em cuja conta se creditam, algumas vezes, suas ousadias verbais. E são singulares porque excêntricas, lêem o mundo de acordo com seu código pessoal.

Um último aspecto a ressaltar no folhetim transcrito é a questão do uso de instrumento mediador entre o olho e seu objeto. Há uma primeira referência importante para o assunto: "as almas dos míopes (...) usam de óculos fixos". Por outro lado, o cronista se extasia diante do telescópio – instrumento capaz de aproximar dos olhos humanos algo tão longínquo quanto Saturno – bem como diante de outros instrumentos medidores de distância, altura de montanhas etc... E arremata lembrando que para nossos avós tudo isso teria parecido bruxaria.

A análise do movimento narrativo em *Senhora* permitirá ver que o que faz do leitor um espectador privilegiado é o fato de seu olho não se encontrar num ponto fixo. O olho do público, ao contrário, vê o real invertido porque o vê a partir de um só lugar. A miopia, incapacidade de ver corretamente, deve-se ao uso de óculos fixos. O telescópio, ao contrário, vincula-se à idéia de movimento: aproxima o distante para nos fazer ver de perto o que está longe. Nossa capacidade de conhecer o real depende de nossa mobilidade com relação a ele ou vice-versa. E, se o telescópio é o fantástico feito reali-

---

prostituta que atiça a gula do olhar de Paulo é também comparada ao fruto; além disso, na orgia na casa do Sá, a mesa que exibe delícias gastronômicas, exibirá depois a mulher e sua dança lasciva.

10. *Lucíola,* p. 38.

dade graças ao avanço tecnológico, a luneta mágica é a culminância da maravilha. Por ela, fazemos mais do que somente aproximar de nossas vistas o mundo. Em companhia de um narrador onisciente, adentramos consciências, traduzimos como pensamento o que se oculta na palavra silenciada, no ar amável e cortês, no sorriso complacente. Artes de bruxaria, sem dúvida.

Conduzindo nossa caminhada em busca da verdade do narrado, o narrador de *Senhora* sugerirá que assestemos sobre sua estória a luneta mágica do imaginário interpretativo, que torna o mundo ficcional povoado de mensagens nos mais diversos códigos, um caleidoscópio de significâncias.

Em *Lucíola*, Paulo olha Lúcia tentando compreendê-la; e muitas vezes muda de idéia a seu respeito quando o olho da opinião pública – os olhos do Sá – se interpõe entre ambos. Amaral dirige a Emília idêntico olhar sedento de conhecimento. Em contrapartida, o olhar dela sobre ele é puro domínio. *A Pata da Gazela* trabalha a oposição entre os olhos do corpo e os da alma, contrastando o olhar "materialista" de Horácio – capaz de perceber somente fragmentos-fetiches do mundo – e o fulminante olhar "espiritual" com que Leopoldo descobre, de uma vez e sem titubeios, o caminho da verdade.

Em *Senhora*, o movimento do olhar tem dupla face: é ato de conhecimento, decifração e criação, por um lado; e também ato de vigilância e domínio, por outro. A opinião pública do romance se metamorfoseia em platéia porque seu papel é assistir, comentar e vigiar o drama mimado pelo par amoroso. Seu olho, como se verá depois, garante a triangulação de todas as relações. Seja a da heroína com o amado, seja a do leitor com a narrativa. A paixão de Aurélia por Seixas começa com uma fatal troca de olhares entre ambos. A moça encontra nos olhos do rapaz não o que estava habituada a ver nos dos cortejadores de profissão: a concupiscência. Mas sim "a vista escrutadora que lhe estava cinzelando o perfil (...) como um artista que estuda o seu modelo"[11]. O que a moça encontra à sua frente é o sentimento refinado e

---

11. *Senhora*, p. 239.

sutil do artista contrastando com a grosseria da materialidade carnal pura e simples.

Desse momento em diante, sua relação será fortemente marcada pelo olhar. Aurélia olhará Seixas para dominá-lo, para convencê-lo ou para seduzi-lo. Seixas olhará a mulher para contemplar sua beleza, para tentar decifrá-la ou para balizar seu comportamento em função da vontade dela. A opinião pública-platéia olhará suas espetaculosas aparições para admirá-la enquanto simulacro do ouro. Aurélia, em contrapartida, olhará a platéia para desnudá-la pela palavra crítica. O leitor, que olha esse cruzamento generalizado de olhares, e olha também a narrativa quando a lê – é o último, mas não o menos importante *voyeur*.

Em comparação com as demais personagens de *Senhora*, somente Aurélia exerce conscientemente a ação de se dar em espetáculo. Sem dúvida, Seixas enquanto solteiro também é exibicionista. Mas se comporta segundo os padrões de ostentação sancionados e estimulados pela própria sociedade da qual é fruto. Para ele, essa forma de exibicionismo, como aliás todas as outras práticas sociais, é tão natural como o ar que respira. É o que o faz ser escravo dos modismos efêmeros que assolam a Corte.

Aurélia, ao contrário, tanto melhor usa sua capacidade de exibição quanto mais o faz por cálculo. Compreende os mecanismos do fingimento, renega-os, mas ambiguamente usa-os com habilidade. Faz da exibição uma arma, da mesma forma como faz com o dinheiro. Sabe que é olhada e que do espetáculo de si mesma surtirá um efeito preciso naqueles que a olham. É nesse sentido que se pode pensar a analogia entre a mulher – que propositalmente se mostra para cativar e seduzir – e a narrativa que, ostentando-se como enigma ao falar da mulher, tenta fazer-nos perder nela e por ela.

Aprofundando aquela analogia, a relação entre o narrador e a narrativa é também mediada pelo gesto do olhar. É o olho-sol que ilumina enquanto cria: tanto a mulher-estátua, como a narrativa enquanto corpo tridimensional – ambas guardando seu segredo nas sombras e dobras que o olho do leitor consegue apenas roçar. Algumas vezes, o olho de nosso narrador se desvia do narrado e olha para nós. Como D. Firmina Mascarenhas que espia o efeito de suas palavras no semblante de Aurélia[12]. Pois não é tentativa de espiar nosso semblante a pergunta indireta: "Não sei como pensarão da fisiologia social de Lemos; a verdade é que..."?[13] O olho cria e ao mesmo tempo sonda o efeito da exibição da criatura a outros olhos.

No crucial momento da aparição de Aurélia a Seixas, quando este se apresenta pela primeira vez na casa da herdeira, o narrador se esmera em descrevê-la como exterioridade brilhante que fere as vistas. Seu olho descritivo percorre minuciosamente o corpo e as vestes da mulher que adentra o salão de sua casa. Que surpresa quando descobrimos que os olhos de Seixas – o pretenso destinatário do espetáculo – "nublados por um súbito deslumbramento"[14], nada viram! Para quem, então, o espetáculo da descrição? Para o leitor, claro! Se nós a vimos, pouco importa que Seixas não tenha visto a deslumbrante aparição.

Em *Senhora*, o olho aparece em configurações peculiares. Como sentido soberano, alia-se à figura do deus-sol, o olho cósmico que ilumina o mundo, cria os contrastes de luz e sombra e o revela como exterioridade visível. Os gregos consideravam que os olhos podem ver a luz porque são parentes do sol e, em latim, olhos se dizem "lumina", luzes. Assim, o olho do espírito se aparenta ao sol, metáfora da divindade[15]. Vários autores nos dão conta da extensão da analogia entre o sol e o olho, nos sistemas míticos de diversas culturas[16]. O fato de que a mitologia solar tenha fraca existência nos povos

---

12. Cf. *Senhora*, p. 185.
13. *Idem*, p. 208.
14. *Idem*, p. 216.
15. *Repressão Sexual*, p. 112.
16. O simbolismo solar predomina na Ásia, Europa arcaica, nas civilizações pré-colombianas do México e Peru e, sobretudo, no Egito. No sistema divino egípcio conhecido como "heliopolitano" (referência a Heliópolis, a Cidade do Sol), o deus cósmico é Rá, palavra que significa "sol". O deus possui um olho, o Olho de Rá. Em outra vertente dessa mitologia, o olho Celeste é referido ao olho de Horus que é o deus do céu e cujos olhos eram o sol e a lua. Cf. Spalding, T.O. *Dicionário de Mitologia;* São Paulo, Cultrix, s/d, pp. 23 e 65. Mircea Eliade informa que a simbologia do Sol "predomina nas regiões onde, graças aos reis, aos heróis, aos impérios, a história se encontra em marcha havendo um "paralelismo entre a supremacia dos cultos solares e a difusão da civilização histórica". "O Sol e os Cultos Solares", in *Tratado de História das Reli-*

menos avançados do ponto de vista da civilização parece ter alguma ressonância no privilégio que Alencar atribui ao olhar, sentido que pressupõe distância entre o sujeito e o objeto de conhecimento. Essa distância, existente também no pensamento abstrato, pode ser vista como indício de "civilização", sendo o selvagem aquele que vive em estado de natureza, já que desconhece as mediações interpostas pela cultura entre o homem e o mundo.

Na ficção urbana de Alencar, o olhar espiritual se opõe ao material. E é a distância que garante àquele a superioridade sobre este. À mão cabe "unir-se à matéria das coisas"; assim sendo, o tato é o sentido que proporciona a forma mais direta de conhecimento. Por outro lado, o olhar "é mais direto e imediato, na intuição do mundo, que o código da língua. O espaço interno vivido no qual se forma a voz mantém sempre alguma sensação de distância entre o sujeito e o objeto da enunciação"[17]. Em Alencar, essa gradação de funções simbólicas faz do tato o sentido mais recalcado; e vai da distância instituída pelo olhar para distâncias crescentes. Primeiro a palavra falada, meio pelo qual a visão se transforma em voz. Depois a voz, tornando-se letra, proporciona novo objeto ao olho, num grau maior de refinamento. Paulo confessa a sua destinatária o receio de que "a palavra viva", a materialidade e presença da voz, rompa o fino tecido com que "a educação envolve certas idéias"[18]. Por isso prefere escrever. É o medo de que o calor da voz tenha o dom da mão que rasga vestes.

O olhar instaura um processo de conhecimento, autoconhecimento e de criação que é espelhístico: meu olho me vê através do olhar que o outro desfere sobre mim. E a cada olhar que desce sobre meu eu, cria-se um eu-máscara, cristalização do instante do olhar do outro, que toma forma à minha revelia. E em cada eu, surgido a partir de cada um dos infinitos olhares que me olham,

---

giões, Lisboa, Cosmos; Santos, Martins Fontes, 1977, pp. 161-195. Em Alencar aparece com freqüência a oposição entre a natureza americana e a cultura européia. Daí ser sintomática a recorrência ao simbolismo solar como emblema da razão civilizadora.

17. BOSI, A. *O Ser e o Tempo da Poesia*. São Paulo, Cultrix, 1977, p. 61.

18. *Lucíola*, p. 3.

eu me revejo, como num espelho partido, em infinitos pedaços. Multidão de máscaras em que me alieno de mim porque perco a dimensão de minha totalidade. Alienação é fragmentação. O demiurgo alencariano olha a criatura, cria-a no mesmo momento em que, pelo olhar, cria a distância que os separa e aliena mutuamente. Do olho ao olhado, uma distância, uma refração. Do olhado à sua imagem verbal, outra distância, nova refração. Da palavra escrita ao olho do leitor, terceiro vazio. Da soma desses vazios compõe-se o tecido verbal fragmentário: a cada buraco, um silêncio, uma armadilha. Distância: condição do ato de olhar, condenação de quem olha. Aurélia condena e é condenada. Condenada a ser ad-mirada, olhada à distância, pelo sol, pela sociedade dos salões, pelo narrador que nô-la apresenta como mulher-estátua de ouro, objeto de olhar. Mas, vingativa, condena: olha Seixas nos olhos e faz com ele o que lhe fizeram – como Medusa, petrifica-o. Símbolo do ouro, ela fora condenada pela sociedade à infindável rota em torno de seu olho perscrutador do qual sempre se aproxima para em seguida se afastar. E assim como a fragmentam pelo olhar, ela também fragmenta: reduz Seixas à imagem que fizera dele, no primeiro olhar.

O movimento do olhar não é unívoco: o criador olha a criatura para fazê-la olhar seu criador como criatura. A criadora Aurélia faz de sua criatura, seu criador. Os pólos da oposição criador/criatura são comutáveis, como os da oposição senhor/escravo. Aurélia – senhora – se dá a seu escravo como sua escrava, para erigi-lo como seu senhor. O narrador faz da criatura Aurélia a imagem de si mesmo. Ele também molda a estátua pelo olhar; e fá-la tão cheia dos mistérios que lhe imprimem a marca funda da vida, tão insondável nos seus desígnios, que o criador de repente já não a domina. O mito de Pigmalião, pelo qual se explica a relação de Aurélia com sua criatura Seixas, explica também a relação de narrador com a criatura mulher-narrativa.

Mais do que apenas instituição da criatura, o olhar institui uma relação de domínio. A Medusa petrifica para mais facilmente subjugar. A Aurélia pobre recusa exibir-se à janela: não quer ser olhada para não ser dominada. Sua marca ativa e dominadora faz com que seu desejo seja o de olhar e dominar. A mulher opera uma clara transgressão ao efetuar, pelos olhos, a escolha do amado. A sociedade exige que ela se deixe escolher. Por isso o disfarce: ela escolhe aquele que deverá escolhê-la. Antes de chamar Seixas à câmara nupcial onde lhe revelará sua situação, hesita. Por um átimo, pensa em se entregar ao amor degradado. Reagindo imediatamente em defesa do amor santo, e sabendo que Seixas tentará seduzi-la com as palavras covencionais do amor banalizado, olha-se no espelho. Depois abre a porta por onde entrará o marido. A contemplação de sua imagem no espelho, que lhe revela a exterioridade factícia, a aparência de "feiticeira" — essa contemplação restitui-lhe o domínio sobre si. O olhar serve ao domínio e ao auto-domínio, que são um só e mesmo processo[19].

O império do olhar se faz graças à proibição quase absoluta do tato. Em *Diva* esse interdito chega à patologia na personalidade da heroína. Emília não valsa para não permitir que o braço de um homem lhe toque a cintura. Não consente que a manga de uma casaca lhe roce as rendas do decote, nem dança a quadrilha se seu par lhe apresenta a mão despida da luva. Além disso, sugere-se que seu estranho ódio-amor pelo Dr. Amaral se deva a ter ele, como médico, encostado o ouvido ao seio da moça para auscutar-lhe o peito enfermo.

Em *Senhora*, o recalque do tato é causa de um refinado trabalho escultórico feito não com as mãos mas com os olhos; o que explica que a temática da escultura venha aliada a uma exacerbação das imagens visuais no romance. O momento em que a heroína está prestes a abrir a porta do quarto nupcial ao marido é acompanhado do seguinte comentário:

... deu algumas voltas pela câmara nupcial *acariciando com os olhos* todos estes móveis e adereços, que ela escolhera para ornarem o regaço de sua felicidade, e nos quais *tinha* como que *esculpida* suas queridas esperanças[20].

Por outro lado, a proibição do tato, sendo base do interdito matrimonial que compõe o nó central do romance, acaba determinando as culminâncias do percurso

---

19. Cf. *Senhora*, p. 227.
20. *Senhora*, p. 227 (grifos meus).

narrativo, os momentos máximos de proximidade física do casal: o serão sob o luar, a volta do baile em São Clemente, a valsa em casa de Aurélia[21].

Esse tabu não se refere, porém, somente a um interdito de ordem sexual. Vimos que há no romance uma estreita ligação entre os planos amoroso-sexual e econômico. Enfoca-se uma sociedade baseada no trabalho manual escravo. Desse modo, o gesto pelo qual se dissimula a natureza do trabalho produtor da riqueza social, tem como correlato artístico a recusa do caráter manual do trabalho de escultura. Alencar reserva aos pobres esse tipo de trabalho: as mulheres lavam, engomam, costuram; os homens são caixeiros, tipógrafos. *As Asas de um Anjo* exemplificam bem a concepção moralizante da pobreza laboriosa. No estreito círculo dos milionários, porém, oculta-se tanto o sujeito da produção social quanto seu caráter manual. A milionária Aurélia compra um marido, como poderia comprar um escravo; a analogia – que ela recusa – será, aliás, ostentada por Seixas. No entanto, sendo ele um escravo de natureza especial, já que seu ofício é o de marido, espera-se que oculte sua vinculação ao mundo do trabalho, renegando-o. Para Aurélia, tanto quanto para os colegas de Seixas, é absurdo que ele continue na secretaria depois de casado. Por isso ele faz de sua assiduidade uma das peças de resistência contra a mulher.

Restrito aos estratos sociais inferiores, o trabalho manual é permitido aos milionários e naturezas aristocráticas estritamente como ócio e sublimação. Ricas herdeiras casadouras se entretêm com seu bordado, o qual pode funcionar – como sucede em *A Pata da Gazela* – enquanto metáfora do tecido narrativo bordado pelo autor. Lazer e arte: trafegamos pelo mundo da elite. Amélia usa o bordado de umas chinelinhas delicadas como ardil para enganar e testar Horácio. Assim, mãos e olhos aristocráticos só se permitem finos bordados e belas palavras. O aleijão do pé, que – no nível de baixo – Amélia deixa sutilmente entrever enquanto ostenta – no nível de cima – o belo bordado fabricado por suas mãos, é apenas o espinho atravessado na garganta refi-

---

21. Respectivamente, capítulo VI da terceira Parte e capítulos I e IV da quarta Parte.

nada dos que tentam ocultar com brilhantes palavras uma realidade repelente.

Se a oposição entre tato e visão parece funcionar como emblema de uma sociedade de rígida divisão do trabalho e estratificação social, o confronto entre boca e olhos reconfigura aquela divisão, agora pela oposição entre oralidade e escrita. Em *Lucíola*, procura-se mostrar a superioridade da palavra escrita sobre a falada, argumentando-se que aquela oculta melhor a realidade nua e crua. Denuncia-se o desejo de ocultação que está na base do discurso escrito, objeto feito para olhar o referente de modo indireto.

Olhos e boca serão, em *Senhora*, fonte de ambigüidade e meio de manutenção do enigma. Ao consentir com o casamento com Seixas, Aurélia "fitou em seu pretendente um olhar que desmentia o sorriso em flor de seus lábios"[22]. Justapostos, olhos e boca – renovando o paradoxo infinito – são a imagem mesma do mundo posto a nu em sua fratura essencial.

---

22. *Senhora*, p. 221.

3. OLHAR DE SOBREVÔO

> *A dissimulação é, então, sistematicamente, uma conduta intermediária, uma conduta oscilante entre os dois pôlos do oculto e do mostrado. Não há dissimulação hábil sem ostentação.*
>
> G. BACHELARD

A fábula sobre que se constrói *Senhora* é resumível em poucas linhas. Eis os fatos em perspectiva temporal linear: uma moça pobre se apaixona por um rapaz também pobre mas aspirante à riqueza. Bela porém sem recursos, a moça tenta em vão atrair o amado. Ao se tornar herdeira de grande fortuna, oferece-lhe uma soma vultosa para aceitá-la em casamento. Consumada a parte mercantil da transação matrimonial, resta consumar o casamento. Entretanto, desnudando ao rapaz sua condição de marido-mercadoria, a moça impede de fato aquela consumação. O impasse só será resolvido quando o rapaz repuser o dinheiro tomado, recomprando-se e recuperando, assim, a possibilidade de consumar o casamento. Uma estória de amor aparentemente simples; a complexidade está no modo como cada um dos protagonistas a vê, no modo como as demais personagens a vêem do lado de fora do drama e, sobretudo, no modo como nós, do lado de fora do livro, somos levados a vê-la pela voz de um narrador ardiloso como sua heroína.

A operação de desentranhamento da fábula permite obter uma pista inicial de análise. Trata-se de uma situação em que as leis do amor, confrontadas com as do mercado, ficam em latência momentânea; mas gerindo – e sugerindo – os meios para, no final, imporem sua soberania. Deste modo, a narrativa se tece a partir da ambigüidade da palavra "posse", significante que remete simultaneamente a dois tipos de leis, encobrindo significados diversos mas aparentados: o bem econômico e o bem afetivo; posse jurídica e posse física; dinheiro e amor[1].

O conflito entre essas duas ordens se expressará na relação conflituosa do par amoroso. A moça vive a dolorosa experiência de amar alguém não pertencente a seu mundo, o do amor como sentimento sagrado, mas a um mundo que lhe é estranho e inóspito, o do mercado. Por ora basta dizer que para Aurélia "amor" é a missão a que ela está predestinada e que vive como possessa. Desse modo puxará até o fim o fio de seu destino, para que se cumpra. Seixas, ao contrário, não respira outro ar senão o dos bailes e coqueterias da Corte. Um byronismo postiço sempre lhe sai de encomenda quando sofre alguma decepção amorosa que, aliás, se cura em seguida na volta ao regaço familiar. Para ele, amor não passa de galanteria, verniz feito para revestir com fineza o que verdadeiramente conta: o interesse econômico.

Seixas pertencia a essa classe de homens, criados pela sociedade moderna, e para a qual o amor deixou de ser um sentimento e tornou-se uma fineza obrigada entre os cavalheiros e as damas de bom-tom[2].

1. Lembro que Antonio Candido analisa em *Senhora* o modo como um fator externo – a instituição do casamento de conveniência – torna-se elemento determinante da estrutura interna do romance: "... se o livro é ordenado em torno desse longo duelo, é porque o duelo representa a transposição, no plano da estrutura do livro, do mecanismo da compra e venda". *Literatura e Sociedade*,3. ed. (revista), São Paulo, Companhia Editora Nacional, 1973, pp. 6-7.

2. *Senhora* p. 243.

O choque dessas ordens toma, afinal, o aspecto de formas diferentes de leitura da realidade: aquilo que Seixas e seu mundo conhecem como "casamento de conveniência", Aurélia interpreta, com aguda consciência crítica, como "mercado matrimonial". Para ela, trata-se de ensinar Seixas a ler o mundo segundo um código que ele, "carioca da gema" e afeito à sociedade mercantil, desconhece completamente. Visto desse ângulo, o andamento da narrativa reflete o processo de educação do marido. Do ponto de vista da sociedade que sanciona o casamento de conveniência como prática corriqueira, essa educação tomará então a forma da se-dução, o desvio do caminho.

Com o intuito de conduzi-lo para fora da rota costumeiramente trilhada pelos caça-dotes que povoam a Corte, Aurélia deverá conjugar as armas da sedução: não só a beleza, que de nada lhe valera enquanto pobre senão como forma momentânea de atração. Mas a beleza que brilha ao refletir a luz do ouro quando a ele se alia, formando um sistema de mútua remissão. Pois ouro e formosura são "duas opulências, que se realçam como a flor em vaso de alabastro; dois esplendores que se refletem, como o raio de sol no prisma do diamante"[3]. Da palavra, porém, ela tira sua mais insidiosa arma. Quando flui como mel dos belos lábios da mulher enfeitada para enfeitiçar, a palavra, como o corpo resplendente de ouro e beleza, des-lumbra: ofusca a vista pelo excesso de luz e, assim, perturba o entendimento. A própria Aurélia se compara à "poesia que brilha e deslumbra"[4]. E Dona Firmina Mascarenhas, parenta que lhe faz companhia, interpreta com justeza a qualidade da moça que "conversa na sala com os deputados e os diplomatas, que eles ficam todos enfeitiçados". E como não será assim, pergunta ela, se Aurélia "fala que parece uma novela?" Eis o que nos interessa: a mulher e a narrativa se parecem.

O relato está dividido em quatro partes cada qual com seu título: "Preço", "Quitação", "Posse" e "Resgate". Essa organização do assunto indica a existência de um narrador que assume o controle sobre o narrado,

---

3. *Idem*, p. 182.
4. *Idem*, p. 186.

apresentando-o ao leitor já devidamente compartimentado e nomeado segundo uma leitura prévia dos acontecimentos. Dividir e dar título são operações que supõem um ponto de vista relativamente distante dos fatos sobre os quais se lança luz, vendo-os como totalidade e dando-lhes coerência, isto é, interpretando-os. Por esse motivo, em *Lucíola*, a senhora que recebe de Paulo o manuscrito desempenha função interpretativa quando, reunindo as cartas, organiza o livro e lhe dá um título[5].

Em *Senhora*, a transformação da fábula em relato denuncia a presença do narrador como intérprete privilegiado. Apesar da onisciência revelada sempre que assim o exige o andamento dos fatos, o narrador brinca atrás de uma pretensa ignorância. É onisciente quando, no capítulo VI da primeira parte por exemplo, conta com detalhes a vida passada e presente de Seixas e sua família, informando-nos das motivações que poderiam justificar certa leviandade de procedimento do rapaz. Assim também é narrada a vida de Aurélia e sua família na parte que antecede o conhecimento de Seixas e a chegada da herança do avô. Outra é, porém, a forma de narrar, sobretudo quando o relato toca o drama central. Observe-se, por exemplo, o desconhecimento fingido pelo narrador a respeito do motivo que leva Aurélia a aparentar desinteresse pelo diálogo travado entre Seixas e sua mãe do qual ela é o assunto:

> Que motivo tinha a inexplicável indiferença da moça naquele momento? Talvez ela própria não o soubesse manifestar. É possível que as consequências da conversa preocupassem mais seu espírito do que as palavras trocadas entre sua mãe e Seixas[6]

Aqui, como sempre que o narrador afeta ignorância, domina o estilo dubitativo, marcado pela recorrência a frases interrogativas cujas respostas estão minadas por elementos expressivos de dúvida do tipo "talvez", "parece que", "é possível que" etc...

Retomemos a divisão e os títulos. Preço, quitação, posse e resgate indicam, antes de mais nada, fases sucessivas de um circuito de natureza econômica[7]. Tratan-

---

5. Cf. *Lucíola*, p. 2.
6. *Senhora*, p. 243.
7. A análise que segue apóia-se na de Marx sobre a mercadoria,

do-se da mercadoria na sua dupla face de valor-de-uso e valor, preço e quitação indicam o percurso por ela realizado, enquanto valor, na esfera do mercado. No nosso caso, a mercadoria é de tipo especial: para se colocar no mercado como bem vendável, o homem deve se desdobrar. Torna-se homem e coisa ao projetar para fora de si uma parte sua, que pode ser a força de trabalho mas que, no caso de Seixas, é sua condição de marido em potencial. É um processo de alienação que redunda em fetichismo. A sociedade carioca é um viveiro de "noivos em disponibilidade"[8] que, como valores-de-uso, colocam-se no mercado para realizar seu valor ao atrair o equivalente universal, uma dada quantia em ouro. É como mercadoria que Aurélia considera seus pretendentes os quais "sabiam, pois ela não fazia mistério, do preço de sua cotação"[9].

Aurélia, do mesmo modo, entra na relação de mercado, porém não como possuidora de uma mercadoria qualquer. Possui a mercadoria equivalente universal: o ouro, metal que encarna a forma dinheiro da mercadoria. Como Seixas, ela também deve se desdobrar quando entra para o mundo do mercado, já que isso é condição do processo de alienação subjacente a esse mundo. Não é casual, portanto, que uma das primeiras atitudes da moça ao se tornar rica é oferecer a Torquato Ribeiro, como simulacro desse desdobramento, seu retrato "em um quadro de ouro maciço, cravejado de brilhantes"[10]. A imagem é eloqüente pois lembra que o ouro – que enquadra o retrato reduplicador da mulher – será também sua prisão. Tanto porque ela deverá se comportar de acordo com suas leis, como porque será avaliada pela sociedade não como pessoa mas como símbolo do metal cobiçado.

Assim, Seixas se apresenta sob a forma de mercadoria comum; Aurélia, como mercadoria de tipo especial. A coisificação, expressando-se como petrificação, as-

---

usando conceitos como valor-de-uso, valor, trabalho concreto, trabalho abstrato, alienação, esfera pública da circulação, esfera privada do consumo etc... Cf. *O Capital*, Rio de Janeiro, Civilização Brasileira, 1971, v. 1, pp. 41-161.

8. *Senhora*, p. 182.
9. *Idem*, p. 184.
10. *Idem*, p. 255.

sume para a mercadoria comum a forma da pedra vulgar: seixo-Seixas; e para a mercadoria equivalente universal, a forma da pedra preciosa: aurus-Aurélia. Jaspe e mármore serão também as matérias preciosas com que se dará forma ao bezerro de ouro, a estátua-mulher representante da riqueza que se dá em adoração aos olhos da concupiscência. Como símbolo do ouro, Aurélia se contamina pela opacidade e pelo dom da ocultação que, no mundo da mercadoria, caracteriza o dinheiro ao não permitir reconhecer a espécie de mercadoria nele transformada. Nisso reside um dos possíveis sentidos do caráter enigmático da mulher. Dito de outro modo: não é apenas porque, por um ato de consciência e vontade, critica a sociedade mercantil e desnuda seus mecanismos, que Aurélia é vista como estranha e enigmática. Ao entrar no mercado como figura do dinheiro, ela reveste a condição enigmática daquele, condição que está em expressar como valor – isto é, de modo abstrato – o seu contrário, ou seja, o valor de uso que é singular e concreto.

Como vimos, o homem no mundo do mercado reflete sua marca: o desdobramento. Em Seixas esse processo se evidencia numa fala de Aurélia: "O *Sr. Seixas* não pode desacreditar *meu marido* e expô-lo à irrisão pública"[11]. Mas também aparece no antagonismo existente entre sua situação familiar e a atitude que ele ostenta em público[12]. O desdobramento acima caracterizado é de fundamental importância para a compreensão do romance como um todo. Como indiquei, vincula-se à idéia de alienação, de ambigüidade e à da cisão entre corpo e alma. Mas remete também a todos os processos de reduplicação que a narrativa comporta. No nível dos temas: a teatralidade como fingimento, a máscara como simulacro do rosto, a cópia como refacção da criação original e – o mais importante – a arte como duplicação do real. No nível da estrutura do relato: a reedição da cena principal, o encontro do casal na câmara nupcial. Esses pontos serão retomados posteriormente[13].

11. *Idem*, p. 288. (os grifos são meus).

12. Cf. *Senhora*, p. 197.

13. Discorrendo sobre o Romantismo, Benedito Nunes diz que "as duplicações começam ao nível da natureza física, que se desdobra num

Outra marca da sociedade mercantil é a desqualificação. No mercado, reduz-se o produto do trabalho concreto a um valor abstrato. Na sociedade, a singularidade do ser humano se restringe a uma de suas facetas: no caso de Seixas, o papel social de "noivo". Só assim é possível equiparar pessoas diversas pelo mesmo estalão de preços. Aurélia não realiza apenas a comparação entre os vários noivos disponíveis. Vivendo ela própria, embora a contragosto, sob as mesmas leis, deve também se equiparar a sua equivalente, Adelaide do Amaral, cujo dote lhe arrancara Seixas[14].

"Preço" e "Quitação" apresentam o homem-coisa circulando pelo mercado a fim de realizar seu valor como valor de troca; mas para isso deve evidenciar seu valor de uso enquanto noivo[15]. Por isso ele ostenta na Corte elegância, fineza e educação acompanhadas de objetos pessoais de adorno de alto preço e das melhores procedências. Mesmo que isso implique em grande sacrifício para sua mãe e irmãs, pois a situação econômica da família não condiz com aquela ostentação. Sua justificativa é simples e, do ponto de vista da moral do mercado, inatacável. Deve primeiro usar-se para atrair um dote, realizando casamento vantajoso. Depois então poderá amparar materialmente a família.

Efetuado o pagamento, a mercadoria-noivo deixa a esfera pública do mercado para adentrar a esfera privada onde – como valor de uso "marido" – deverá ser con-

---

sistema espiritual; passam à individualidade humana, que se desdobra num organismo físico e metafísico; continuam na arte, duplicada por uma 'arte eterna' que o transcendentalista Emerson viu manifestar-se nas coisas (...) As misturas se revelam nos compostos híbridos – a *ética poética*, a *poesia científica*, a *física teológica*, a *filosofia poética* – que o gênio elabora, e dos quais extrai um conhecimento de ordem superior. Mas tanto as misturas quanto as duplicações significavam o resultado e uma reação transversal, *sub specie artis*, ao deslocamento dos valores que se produzia socialmente". "... o romântico se fixa à inquietude que o dilacera, e amando o contraste pelo contraste, vive, em meio de antíteses, uma existência dúplice e desdobrada". "A Visão Romântica", in *O Romantismo* (org. *J. Guinsburg*) São Paulo, Perspectiva, 1978, pp. 71 e 68 respectivamente.

14. Cf. *Senhora*, p. 186.

15. *O Capital*, p. 96: "Por outro lado, têm elas (as mercadorias) de evidenciar que são valores-de-uso antes de poderem realizar-se como valores, pois o trabalho nelas despendido só conta se foi empregado em forma útil para outros".

sumida: é o momento da posse. O resgate, em princípio, implica na recuperação do valor de uso: Seixas recompra de Aurélia a coisa-marido em que se havia desdobrado. Abre-se, assim, novamente a possibilidade de recomeçar o ciclo de troca. Entretanto, já observei que lidamos com uma mercadoria de tipo especial. Não o produto do trabalho alienado por seu proprietário no mercado mas o homem que aliena, pela venda, uma parte de si mesmo[16]. A compra e venda do homem-coisa, ao ser desnudada, reflete-se em sua consciência transformando-o. Já me referi ao processo de educação/sedução a que se submete Seixas. Comprando-o, Aurélia retira da sociedade de mercado um funcionário público, alguém que, dentro da ordem econômica escravocrata, não é senhor nem escravo mas homem livre que obtém pelo mecanismo do favor seu ganha-pão: uma sinecura dentro do aparelho de Estado. Traz para casa esse homem livre e, na qualidade de "senhora", transforma-o em escravo e faz com que ele assim se veja. No fim, subvertendo a situação, erige-o em seu "senhor". Desse modo, o conflito entre Aurélia e Seixas – mais do que somente oposição entre o mundo do amor e do dinheiro, mais do que choque de códigos distintos de leitura do real – expressa-se como confronto entre dois modos diversos de organização social: a sociedade patriarcal-escravocrata, por um lado, a sociedade mercantil, por outro.

Entretanto, os títulos "Preço", "Quitação", "Posse" e "Resgate" participam, enquanto nomes, de um traço constante no estilo alencariano: a ambiguidade, a referência simultânea a mais de um aspecto da realidade. O nome da heroína é exemplo ilustre disso, já o vimos. Enquanto pobre, Aurélia não foi capaz de atrair Seixas. A herança súbita transporta-a para o centro da vida social: o mundo dos ricos. O ouro é para ela, porém, um fardo a carregar, "um vil metal que rebaixava

---

16. O romance aborda um tema caro ao Romantismo – o da venda do corpo – que, entretanto, é usualmente referido à prostituta. Como aqui a situação se inverte, de algum modo fica referido o tema inverso da prostituição do homem, a venda da alma ao diabo. Aurélia porá em dúvida, zombeteiramente, a existência de uma alma em Seixas, enquanto ele se obstina em lembrar-lhe que, apesar de ter alienado o corpo, sua alma lhe pertence.

os homens..."[17] Por isso ela se serve dele como arma contra a sociedade no seio da qual passa a viver, já que "no íntimo sentia-se profundamente humilhada pensando que para toda essa gente que a cercava, ela, a sua pessoa, não merecia uma só das bajulações que tributavam a cada um de seus mil contos de réis". Por outro lado, somente de posse desse ouro e obedecendo a suas leis, que ela despreza e que a humilham, poderá conquistar o homem prezado. Assim, "preço" não é só a quantia que compra o noivo. Não são só os cem contos do dote, mas as humilhações e indignidades de semelhante mundo; submergir nele e aceitar suas regras para recuperar, ao mesmo tempo, a dignidade de Seixas e a que ela própria perdera ao se transformar em simulacro do ouro.

Da mesma forma, "Quitação" – parte ao final da qual Seixas toma conhecimento de sua situação perante a mulher – é também "retribuição" na forma de vingança, tal qual aparece na expressão "estamos quites" da declaração:

– É tempo de concluir o mercado. Dos cem contos de réis, em que o senhor avaliou-se, já recebeu vinte; aqui tem os oitenta que faltavam. Estamos quites, e posso chamá-lo meu; meu marido, pois é este o nome de convenção[18].

"Posse" não aponta somente para a etapa de consumo do valor de uso econômico, mas ainda para o momento da posse sexual que deveria se seguir à celebração do matrimônio. Finalmente, "resgate" indica tanto a tentativa de recompra, por Seixas, da parte alienada de si mesmo, como o processo pelo qual, através da sedução, Aurélia acaba arrancando definitivamente o marido das garras da sociedade.

A natureza ambígua do nome das coisas está, desta forma, a nos aconselhar cautela contra qualquer apelo à univocidade. Mais exatamente: cuidado contra tudo que nos prende à fachada exterior das coisas – do ouro, da mulher, da palavra. A mulher-esfinge, descrita como "estátua", é entretanto "estátua palpitante de emoção"[19]. Sob um gélido invólucro de mármore há fogo puro.

17. *Senhora*, p. 183.
18. *Idem*, p. 257.
19. *Idem*, p. 227.

Outra divisão possível do relato lhe dá dimensão teatral. Compõe-se, em primeiro lugar, de um prólogo formado pela primeira parte menos o último capítulo em que Aurélia revela a Seixas: "— Representamos uma comédia, na qual ambos desempenhamos o nosso papel com perícia consumada"[20]. E pela segunda parte menos o último capítulo em que o narrador convida: "Tornemos à câmara nupcial, onde se representa a primeira cena do drama original..."[21]

Em segundo lugar, há a ação central que cobre, além desta primeira cena cindida em duas partes, as duas partes finais do romance. Esse núcleo central se refere à vivência conflituosa da vida conjugal da qual o amor está excluído. O fim do drama, epílogo, coincide com o fim do interdito e do relato romanesco. No último parágrafo do livro lemos que "*as cortinas cerraram-se*, e as auras da noite, acariciando o seio das flores, cantavam o hino misterioso do santo amor conjugal".[22] Para denunciar sua condição de epílogo, o parágrafo guarda um espaço gráfico maior em relação ao que o antecede.

Ambiguamente, as cortinas que se cerram se assemelham às que, no teatro, ocultam o palco dos olhos da platéia, no final da representação. As mesmas que, nos aposentos do casal, envolvem pudicamente o leito, semi-ocultando-o ao olho curioso. Entre nossos olhos e o objeto que – fingindo-se sempre em vias de se revelar – finalmente se oculta, interpõem-se mediações paralelas: as cortinas do leito; por sobre elas, as do palco; e, por sobre tudo, o livro que se fecha nas mãos do leitor.

A concepção teatral do relato explica porque ele se inicia com a cronologia que convencionei chamar de "presente da riqueza". O drama – entendido como conflito mas também como modo teatral porque inautêntico de ser no mundo, como fingimento e dissimulação, como artificialidade do indivíduo desdobrado pela perda da integridade – tal drama é expressão da vivência dilacerada do presente. É a forma que melhor manifesta a essência da sociedade de mercado: o cálculo mascarado

---

20. *Idem*, p. 228.
21. *Idem*, p. 256.
22. *Idem*, p. 340 (os grifos são meus).

como sentimento, a conveniência disfarçada em afeto e, na regência do processo, o dinheiro como motor oculto das ações.

Outros aspectos evidenciam a teatralidade. O narrador se refere aos protagonistas como "atores", e à estória como "drama"[23]; as personagens fazem o mesmo. Entretanto, a ironia que timbra seu relacionamento torna sempre possível o deslize do drama à comédia[24]. A gestualidade exagerada da heroína quando se coloca ao alcance de qualquer olhar – o de Seixas ou do leitor – tem clara conotação de fingimento. A análise do capítulo II da primeira parte permitirá observar melhor esse aspecto. Seixas também representa, mas de modo diverso. A consciência de que a vida na sociedade mercantil não passa de representação lhe vem somente depois do casamento; "...naquele tempo não era mais do que um ator de sala"[25], diz ele no último capítulo do romance. Na mulher, ao contrário, a capacidade de representar se vincula diretamente ao plano calculado de sedução. No marido, trata-se apenas de um dever de ofício. Daí a mediocridade do desempenho de um e o talento da outra.

A representação, expressão da vida mercantilizada, não se limita ao centro onde atuam os protagonistas. Contamina a zona de penumbra das personagens secundárias. D. Firmina Mascarenhas afeta por Aurélia a "ternura que exigia o seu cargo"[26]. Lemos, lembrando-se da irmã morta, mãe de Aurélia, enxuga "no canto do olho uma lágrima que ele conseguira espremer, se é que não a tinha inventado como parece mais provável"[27]. E a Lísia Soares "*se dizia* a amiga mais íntima de Aurélia"[28].

A importância da visão teatral de Alencar não se restringe ao período em que ele afiou a pena na dramaturgia. O tema da prostituição começa a ser trabalhado numa obra teatral – *As Asas de um Anjo* – mas vai sendo reelaborado, de modos diversos, nos "perfis de mu-

---

23. *Idem*, pp. 256 e 326.
24. *Idem*, pp. 228 e 272.
25. *Idem*, pp. 337-338.
26. *Idem*, p. 185.
27. *Idem*, p. 193.
28. *Idem*, p. 26 (grifos meus).

lher". Além disso, obras teatrais são referências constantes em sua ficção. O modelo mais próximo de *Lucíola* é o teatro de Dumas Filho. Em *Senhora* há referência ao *Otelo*, de Shakespeare e a várias óperas, sobretudo à *Norma*, de Bellini.

Com relação aos demais romances, todavia, nesse último o teatro é elemento organizador da ficção, teatro dentro do romance. Essa imbricação se evidencia quando o narrador, atuando como manipulador de marionetes, convida-nos a voltar à câmara nupcial onde deixara paralisados os protagonistas, enquanto relatava os sucessos do passado da pobreza. "Os dois atores ainda conservam a mesma posição em que os deixamos"[29], diz ele. E com esse gesto indica a que grau chega seu poder de intervenção sobre o narrado. Paralisando os atores, ele se denuncia indiretamente como prestidigitador, apontando para o ilusionismo ficcional. Pois essa intervenção quase escandalosa sobre a narrativa revela o fingimento do gesto oposto: quando, por exemplo, diz que

bem desejara o narrador deste episódio perscrutar a razão dos singulares movimentos que se produzem n'alma de Aurélia. Como porém não foi dotado com a lucidez precisa para o estudo dos fenômenos psicológicos, limita-se a referir o que sabe...[30]

E esse é apenas um dos muitos momentos de atuação do narrador dissimulado.

Do exposto acima pode-se, então, pensar que se o narrador é um papel narrativo, trata-se em *Senhora* de um papel teatral. Assim como sua heroína, o narrador dissimulado tirará de suas constantes metamorfoses e deslocamentos, seu poder de sedução sobre o leitor. A heroína-atriz representará perante o amado para enredá-lo em sua teia de enganos. O mesmo fará o narrador diante de nós: ora ostentará seu conhecimento total, ora afetará nada saber. Nós, como Seixas, seguiremos em busca de uma verdade sempre fugaz. Algumas vezes saberemos tanto quanto ele. Outras, assistiremos ao espetáculo de sua cegueira diante das artimanhas da mulher. E então perceberemos que nós também caminhamos às cegas por um labirinto de ambigüidades.

29. *Idem*, p. 256.
30. *Idem*, p. 289.

Como representação dramática, o relato apresenta os espaços do teatro: o palco, lugar dos dois protagonistas; a platéia, onde ficam os personagens secundários; os bastidores: local cujo acesso só é facultado, algumas vezes e controladamente, aos olhos do leitor. Para o espaço central do palco convergem todos os olhares. A luz que o ilumina é fornecida, na sociedade de mercado, pelo Sol do sistema social, o ouro. Sendo seu símbolo, Aurélia é iluminada por ele, ao mesmo tempo em que refrata essa luz iluminando o palco onde atua: "há anos raiou no céu fluminense uma nova estrela"[31]. Mas além da divisão teatral do espaço há uma outra, opondo o espaço público da sociedade – que é o que comporta o arranjo teatral – ao espaço privado da família. Veremos que um dos fatores de conflito interior da heroína é o sentimento agudo da perda desse espaço de privacidade. O espaço público é onde a sociedade realiza todas as práticas de exibição e voyeurismo a que me referi.

A imagem das personagens-marionetes é altamente expressiva. Por ela se entrevê um mundo onde as pessoas são objetos movidos por cordéis: a força cega do acaso, o poder abstrato do dinheiro, o caráter mecânico dos gestos do marido transformado em pura exterioridade corporal ao se vender. Tópicos que disseminam pela narrativa a impressão geral de alienação que coloca no mesmo plano pessoas e coisas: "Pode-se ter ciúme de um amigo, como de um traste de estimação, ou de um animal favorito. Eu quando era criança tinha-o de minhas bonecas"[32]. As bonecas, como os atores-marionetes, apontam para o mundo dos homens reificados. Não é casual que o romance reelabore o mito de Pigmalião aliado ao da Medusa. Seixas será a estátua cinzelada por Aurélia. Esta, por sua vez, será a estátua que, no baile, receberá "da admiração da turba os últimos toques"[33]. Daí se explica a proliferação das imagens pétreas. A mulher-estátua petrificada pelo ouro; o homem-boneco paralisado pelo olhar da górgona. Predomínio da rígida matéria mineral: mármore, jaspe, pérola e porcelana. A

---

31. *Idem*, p. 182.
32. *Idem*, p. 310.
33. *Idem*, p. 302.

frieza do fetiche, comunicando-se à esfera humana, torna-a lugar de relações teatrais porque alienadas.

Concebida como teatro, a vida de relações se exerce de forma triangulada. Um olho que se lance sobre a mulher encontra no olho do público-platéia o vértice que fecha o triângulo. As relações pessoais não são diretas mas mediadas. Em *Lucíola*, o raio do olho de Paulo sobre Lúcia sofre um desvio quando interceptado por um terceiro. Após cumprimentar a moça com respeitosa cortesia, pergunta ao Sá: "– Quem é esta senhora?" obtendo em resposta um sorriso sarcástico acompanhado das palavras: "– Não é uma senhora, Paulo! É uma mulher bonita". Pela mediação do Sá, a visão de Paulo sofre uma metamorfose; compreende que "confundira a máscara hipócrita do vício com o modesto recato da inocência"[34]. Em *Senhora*, uma das fontes de informação a respeito da moça é o que em sociedade se diz dela. Como, porém, o público aqui só é capaz de ler o real de modo invertido, o narrador exercerá o papel mais importante na triangulação entre nosso olho e o objeto que lemos. A ele caberá fabricar a cortina de fumaça que dificultará a visão clara e a conseqüente anulação do enigma.

A transformação dos atores em marionetes indica, ao mesmo tempo, o controle do narrador e a natureza propositalmente ilusionista do relato. Assim como a narrativa descreve uma trajetória de ocultações e desvendamentos sucessivos, o drama – caminhando sempre no meio-fio entre a ilusão e sua quebra – acaba tendo seu quê de comédia. Na cena em que reproduz *Norma*, Aurélia exacerbará seu fingimento até fazer do dramático o ridículo. A narrativa vai despindo diante de nós seu direito e seu avesso.

A estória do desejo de Aurélia, cerne de seu conflito, tem trajeto semelhante. A ilusão de "viver amante e amada"[35] durou apenas um mês, tempo em que "seria difícil conhecer a quem mais adorava a gentil menina, e de quem mais vivia, se do homem que a visitava todos os dias ao cair da tarde, se do ideal que sua imaginação copiara daquele modelo". A ilusão corresponde à ínfima

---

34. *Lucíola*, p. 5.
35. *Senhora*, p. 240.

fração do tempo de fusão entre ideal e modelo. Esse, em seguida, começa a se deslocar. Seixas – o homem –, ao longo do convívio com a mulher não faz senão desdizer o ideal, pondo a nu a ruptura entre o real e seu simulacro e instaurando a desilusão. É a acusação que pesa sobre ele:

– Desprezasse-me embora, mas não descesse da altura em que o havia colocado dentro de minha alma. Eu tinha um ídolo; o senhor abateu-o de seu pedestal, e atirou-o no pó. Essa degradação do homem a quem eu adorava, eis o seu crime...[36]

E depois de algum tempo de um relacionamento conjugal tempestuoso, Aurélia confessa ao marido que não se importaria "que ele fosse Lúcifer, contanto que tivesse o poder de iludir-me até o fim, e convencer-me de sua paixão e inebriar-me dela"[37]. Sua frustração vem da consciência de que Seixas é incapaz de encantá-la, convencê-la, cativá-la. Seu desejo é torná-lo reflexo do que ela é: encantadora, cativante. Metáfora da narrativa, a mulher se ostenta para atrair. Ilude, mas somente para depois ter o gosto de quebrar ilusão. Leva Seixas a casar-se com ela apenas para desnudar-lhe, brusca e cruamente, a farsa de seu casamento. Por cálculo, faz com ele o mesmo que ele, sem saber, fizera a ela.

Consciente ao mesmo tempo de seu desejo de auto-ilusão e da impossibilidade de realizá-lo, a heroína se alinha ao lado do herói trágico moderno. A tragédia tira sua essência

do processo pelo qual o homem adquire clareza sobre si mesmo, e o valor moral da auto-interrogação trágica repousa na implacabilidade com que a ilusão é despedaçada e a natureza real do herói é revelada, acima de tudo a ele mesmo[38].

A dúvida que corrói o coração de jovens donzelas é freqüente no romance urbano de Alencar. Para além da questão de serem "as meninas alencarianas, com os seus arrancos de grande dama (...) inconvenientes e bobocas,

36. *Idem*, pp. 256-257.
37. *Idem*, p. 284.
38. HAUSER, A. *Maneirismo: A Crise da Renascença e o Surgimento da Arte Moderna*. São Paulo, Perspectiva/EDUSP, 1976, p. 89.

nem românticas nem naturalistas", como acusa Nabuco[39]; para além da indagação sobre o caráter pretensioso do tom central de *Senhora*, dissonante do tom da periferia, como sustenta Roberto Schwarz[40], creio ser possível colocar a questão de outro modo.

Aceitemos provisoriamente a hipótese da analogia entre a mulher e a narrativa. O conflito de Aurélia está em enfrentar a todo momento a comparação entre o homem real e a imagem que dele fizera, comparação que mostra impiedosamente a mediocridade do primeiro com relação à segunda. A todo momento é preciso encarar a dissonância profunda entre ambos. Escrita a partir de esquemas formais europeus mas tendo como matéria a acanhada Corte fluminense, a narrativa também deve a todo momento denunciar-se como dissonante, apontando a fissura entre a forma e o real que lhe serve de matéria. Seixas se compara a Otelo – mas por zombaria; Aurélia se faz de Norma, mas termina rindo de sua encenação[41]. Assim, mesmo em seu centro, a narrativa se constituiria de um tom sério, mas montado sobre uma superfície móvel que o deixa constantemente à mercê da farsa. Como se também a narrativa acusasse, ao mesmo tempo, o desejo do exato ajuste entre forma e matéria e a consciência de que ele é impossível. "Os teus colossos neste nosso mundo teriam ares de convidados de pedra"[42], diz Elisa do Vale à sua amiga. Será para de-

---

39. Referido por Roberto Schwarz em *Ao Vencedor as Batatas*, São Paulo, Duas Cidades, 1977, pp. 31-32.

40. Analisando as contradições de Alencar, Schwarz afirma que *Senhora* justapõe um molde europeu – o romance realista de Balzac – às circunstâncias locais. Assim, Alencar "reedita sem sabê-lo e sem resolvê-la, uma incongruência central em nossa vida pensada" já que justapõe o molde produzido numa sociedade burguesa liberal à realidade do escravismo e do mundo do favor. De acordo com Schwarz, essa justaposição responde pela coexistência de tons diversos e conflitantes em *Senhora*. Na periferia – onde se encontram as personagens características da sociedade local – um tom mais "desafogado"; no centro – a mocidade casadoura e, sobretudo, a heroína e seu pretendente – a seriedade dramática. Entretanto, "esse tom reflexivo e problemático, bem realizado em si mesmo, não convence inteiramente, e é infeliz em seu convívio com o outro. Faz efeito pretensioso, tem alguma coisa descabida". Lembro que o objetivo do autor, ao analisar *Senhora* é apontar o "nó que Machado de Assis vai desatar". *Op. cit.* pp. 29-60.

41. *Senhora*, pp. 330-188, respectivamente.

42. *Idem*, p. 343.

nunciar esse disparate que Alencar constrói com pedra – ouro, mármore e jaspe – as mulheres-estátuas de seus perfis?

Entre homem e imagem há encaixe apenas por um instante, que funciona como contraponto para um imenso desajuste. Esse, sendo substantivo no relato, cria um ponto de fuga. Dá-se a corrida do imaginário querendo se colar a um real que lhe escapa: "... adorar um ídolo para vê-lo a todo o instante transformar-se em uma cousa que nos escarnece e nos repele... É um suplício de Tântalo, mais cruel do que o da sede e da fome"[43]. Seria Tântalo a figura do romancista dilacerado entre o desejo da imagem perfeita – Alencar era acusado de copiar modelos europeus – e a impossibilidade de agarrar a matéria local com ela?[44] E se assim for, não seria essa também uma forma de expressar um problema estético-literário mais geral – o dilema do romance tentando ser ele mesmo, mas constituído como desejo do outro (de outros gêneros) e carência de auto-identidade?

Comparando as artes clássicas e maneirista, Hauser aponta a primeira como uma unidade auto-suficiente e completa em si, enquanto a segunda seria

um sistema aberto, incompleto (...) Consciente ou inconscientemente, a arte não clássica abandona a ficção de que a criação artística constitui um mundo auto-suficiente com fronteiras intransponíveis, um recinto que, uma vez adentrado, não pode ser novamente abandonado. O maneirismo permite – e realmente com freqüência requer – uma interrupção ocasional da ilusão da arte e a ela retorna com prazer. Jogar com diferentes aspectos e atitudes, com sentimentos fictícios e "autodesilusão deliberada" é algo no maneirismo tão intimamente associado com a apreciação artística quanto, ao que parece, totalmente inconciliável com as concepções das estéticas clássicas. Uma obra de arte maneirista, em suma, não é um santuário divino em que se entra com temor e reverência, deixando do lado de fora todas as coisas mundanas e triviais; trata-se antes, para usar a conhecida imagem maneirista, de um labirinto onde nos perdemos sem procurar escapar[45].

---

43. *Idem*, p. 284.

44. Raimundo de Magalhães Jr. chama Alencar de "insigne parodista", antes de arrolar vários exemplos de obras famosas, sobretudo de Shakespeare, em que o autor teria se inspirado. Cf. *José de Alencar e Sua Época*, 2. ed., Rio de Janeiro, Civilização Brasileira; Brasília, INL, 1977, p. 165.

45. Maneirismo: *A Crise da Renascença e o Surgimento da Arte Moderna*, p. 31.

Adiante veremos o quanto de labiríntico há no caminho que Aurélia traça para Seixas percorrer e naquele que a narrativa descortina à frente do leitor que parte em busca da verdade em fuga. Quanto ao processo de quebra da ilusão, o mais curioso não é tanto ele ser praticado por Aurélia e Seixas. Mas pela mais desprezada das personagens, o tutor Lemos, que como vimos mostra o fingimento romanesco com clareza. Da quebra da ilusão nasce a ironia que marca o presente do amor degradado e que torna acres as palavras da heroína e do narrador referentes à vida reificada em máscara. E esse é, talvez, um dos pontos em que Alencar fortemente prenuncia Machado de Assis.

Uma das hipóteses deste trabalho é a existência em *Senhora* da analogia entre a mulher e a narrativa. Alguns dados confirmadores já foram adiantados. Para compreender a natureza do movimento do relato, análise que será feita posteriormente, é necessário explorar melhor essa que é, a meu ver, uma das metáforas-chave do romance. O ponto de partida dessa exploração será o tópico da mulher-feiticeira.

A segunda página do romance qualifica a heroína de "feiticeira menina"[46]. E no momento culminante da estória, ainda sozinha na câmara nupcial, ela olha o espelho e sorri para "sua feiticeira imagem reproduzida no cristal"[47]. De um lado, há a tradição cristã que vê na feiticeira a bruxa e, nesta, a mulher como ser sexuado, por isso, ligado à desordem e ao demônio. E assim reencontramos o tópico da mulher fatal – Cecília, Carmen e Capitu. Aqui, como lá, à feiticeira-mulher se atribui o pecado da sedução demoníaca.

O produto das artes da feiticeira é malefício, objeto em que se vêem caracteres sobrenaturais. É encanto e fascinação. Como adjetivo, "feitiço" significa artificial, postiço e fictício. Eis-nos atando o feitiço feminino ao do demoníaco fabricador de estórias fictícias. O objetivo de ambos é o mesmo: a sedução. Seu meio, idêntico: construir algo não natural, algo que parece ser o que não é. E isto, segundo Georges Bataille, é próprio do objeto erótico. A mulher que se enfeita fabrica a beleza

---

46. *Senhora*, p. 183.
47. *Idem*, p. 227.

de seu corpo; assim como o escritor, fabricando sua estória ardilosamente, torna-a atraente. Num e noutro caso, o resultado visado é o prazer: na relação de amor, na da leitura. A ficção é, nesse sentido, um objeto erótico[48].

Feitiço tem a ver com capricho: traços que definem o caráter de Aurélia, cujas motivações sempre oscilam entre opostos aparentemente inconciliáveis. Ela própria o diz:

– Agora, neste momento, sei eu porventura o que farei esta noite? Que extravagência me virá tentar? (...) Eu posso fazer de nossa união um mistério ou um escândalo, conforme o capricho[49].

O diálogo em que essa declaração aparece vem depois de mais uma das inúmeras situações estranhas que a moça cria perante o marido – e o leitor. Acabara de revelar em público, e diante de Seixas, que o comprara por cem contos de réis. Este lhe pergunta depois por que mudara de atitude, ostentando agora o que antes ocultava. Aí se insere a resposta citada. O sentido da pergunta: "– Agora neste momento, sei eu porventura o que farei esta noite? Que extravagância me virá tentar?" é, aparentemente, o de indicar a falta de lógica de suas ações, seu capricho. Entretanto, o que sucede depois mostra um preciso cálculo orientando suas palavras; de modo que o sentido subterrâneo desdiz o sentido aparente. Pois à noite, Seixas – sozinho em seu aposento – se lembra das estranhas palavras: "sei eu porventura o que farei esta noite?" E se entrega à curiosidade de saber o que ocorria no outro lado da porta que o separava da mulher. Temeroso de bater, põe-se a espiá-la pelo buraco da fechadura.

Ora, o desejo férvido – mas reprimido – de Aurélia é ser vista pelo marido, desnudar-se de corpo e alma. É o que declara na câmara nupcial:

... essa riqueza servirá para dar-me a única satisfação que ainda posso ter neste mundo. *Mostrar a esse homem* que não me soube compreender, que mulher o amava...[50]

---

48. Repressão Sexual, p. 105: "A acusação de feitiçaria é sempre sexual, pois a feiticeira é aquela que dorme com o diabo".
49. *Senhora*, p. 288.
50. *Idem*, p. 257 (grifo meu).

Desse modo, a pergunta lançada ao marido é a isca da dúvida. Não é mero capricho mas rígido cálculo.

A pergunta de Aurélia, além de ambígua, é de natureza retórica. Pois o que pretende não é manifestar sua ignorância mas produzir dúvida em Seixas. O Alencar folhetinista conceitua o ponto de interrogação de forma curiosa. Seu aspecto exterior revelaria sua intenção: é um anzol feito para pescar algo ou alguém[51]. Donde se deduz a natureza ardilosa da frase interrogativa. A análise dos dois primeiros capítulos do romance mostrará com detalhes que a narrativa, como a heroína, faz amplo uso da interrogação retórica para "pescar" seu leitor para dentro dela. Por ora, somente um exemplo, a fim de sublinhar a analogia mulher-narrativa:

Como acreditar que a natureza houvesse traçado as linhas tão puras e límpidas daquele perfil para quebrar-lhes a harmonia com o riso de uma pungente ironia?[52]

A pergunta cria a dúvida e o desejo de continuar lendo para saciar a curiosidade. Eis-nos mordendo a isca.

A semelhança entre a mulher e a narrativa vai além. Ambas desejam exibir sua totalidade fragmentada em corpo e alma. Aurélia quer "mostrar a esse homem (...) que alma perdeu". Entretanto, não faz outra coisa senão exibir-lhe o corpo. No mundo enganoso da aparência só é possível chegar à alma trilhando o espinhoso caminho da brilhante barreira corporal. A alma é, enfim, feita dessa travessia. Os olhos devem aprender a ver, inscrita na matéria, a cifra do espírito. Como Perseu, é preciso evitar olhar a Medusa diretamente nos olhos. Há que olhá-la de viés, pelo espelho.

A narrativa deseja que ultrapassemos sua corporeidade imediatamente visível. Que captemos a fugaz totalidade manifestada através do que é simultaneamente dito e desdito. Machado de Assis expressa com perfeição esse processo de síntese de contrários. Bentinho diz

---

51. Para facilitar a consulta, forneço em anexo ao final deste trabalho a transcrição do trecho do folhetim de 4 de novembro de 1855, em que Alencar fala do ponto de interrogação.

52. *Senhora*, p. 183.

que ele e Capitu eram "dous e contrários, ela encobrindo com a palavra o que eu publicava pelo silêncio"[53]

O signo realiza a síntese de seus sentidos possíveis e, muitas vezes, opostos. A cisão entre o corpo da palavra e sua alma – o que ela conota; o literal e o literário; o dito e o imaginado; essa separação se mostra desejosa de recuperar a inteireza perdida. E, nesse sentido, a ambigüidade – a denúncia do caráter dual das coisas – tenta anular o efeito do fetiche, que isola o ser numa só de suas facetas.

Se a imagem é o fogo – tanto é a chama diabólica da corporeidade sexuada da mulher feiticeira, o ser decaído, Lúcifer; como é o fogo sagrado de Pigmalião, a centelha artística criadora, o fogo divino da lucidez. Se a imagem é a da metamorfose da crisálida em borboleta – tanto remete às asas do anjo, como às da borboleta-mariposa, a prostituta. A cada passo, a corporeidade da palavra – como a da mulher – nos dá somente seu perfil, deixando na penumbra o oposto que lhe dá inteireza. E nesse processo em que vemos, a cada momento, apenas a metade de algo, a verdade acaba sendo a perseguição infinita dessa totalidade em fuga.

Figura da narrativa, Aurélia encarna também o ideal do artista criador. Para contrastar com ela, Seixas representa o artista servil ao real, o imitador. A arte de Aurélia é superior à de Seixas não só porque é ela quem, afinal, sai vitoriosa. É que Seixas é o artista contemplativo, byroniano por imitação, recitador de poemas alheios, tradutor de obras estrangeiras. E aqui "tradução" tem clara conotação de "cópia". "Seixas é uma fotografia; eu conheço vinte originais dessa cópia"[54], diz em sua carta Elisa do Vale. O primeiro olhar do rapaz sobre a moça pobre da Rua de Santa Tereza é, apenas, um frio exame do modelo[55]; do mesmo modo, suas palavras são tão pouco hábeis que sequer conseguem enganar a ingênua Aurélia, quando lhe cobra a formalização do compromisso de noivado com a filha[56].

---

53. ASSIS, J. M. M. *Dom Casmurro*. Rio de Janeiro, Civilização Braleira; Brasília, INL, 1975, p. 117.
54. *Senhora*, p. 342.
55. Cf. *Senhora*, p. 239.
56. *Idem*, p. 242.

Aurélia carrega o fogo artístico de Pigmalião. O olhar que desfere sobre o amado está esbraseado pela paixão. Para essa casta de artistas não é possível criar senão com a paixão da mais absoluta entrega[57]. "E não é esta a eterna legenda do amor, nas almas iluminadas pelo fogo sagrado?"[58] No início vimos que o conflito de Aurélia e Seixas tinha vários significados. Agora, acrescenta-se mais um: ambos expressam distintas maneiras de conceber a arte e o artista. E aqui também a superioridade é da mulher. Como no poema de Donne, a mulher enfeitada é um livro místico: corpo que se exibe, mas que só mostra seus mistérios a olhos que transpassam adornos e atavios.

Refletindo sobre o progressivo distanciamento e despersonalização do eu do autor exigido pelo processo poético, tanto no caso de Mallarmé como no de Rimbaud, Philippe Willermart tece considerações sobre a natureza da palavra poética:

A escritura provém sempre de uma atitude feminina, se entendermos por isso a capacidade tão particular à mulher – embora ligada à sua constituição biológica (perda do sangue menstrual e do filho) de se desprender do estabelecido e da unidade constituída (...) O escritor, vivendo a atitude feminina, se distancia da linguagem social, se afasta dos pontos de referência, dicionário e sintaxe, e foge assim da certeza da relação arbitrária e necessária entre significante e significado[59].

Vista como natureza por oposição à cultura, como desordem em relação à ordem, à mulher – como à poesia – cabe seduzir: desviar do caminho. O processo de criação do poeta gera o novo através do desvio. A natureza feminina da poesia estaria em ser uma ameaça constante de explosão do estabelecido.

A atitude desviante implica um distanciamento da linguagem social. O olho crítico de Aurélia chama "mercado" o que a sociedade chama "casamento de conveniência". A narrativa, por sua vez, brinca de exi-

57. O título "Bênção Paterna", do prefácio de *Sonhos d'Ouro*, dá bem a medida do vínculo afetivo entre o criador e sua obra.
58. *Senhora* p. 240.
59. WILLEMART, P. "Ainda o Proto-Texto – argumentou para um novo campo de pesquisa"; publicado no suplemento dominical da *Folha de S. Paulo – Folhetim –* de 24 de junho de 1984.

bir o direito e o avesso dos signos. Fogo=sexo e espírito. Ouro= o sol ardente da beleza e a matéria que conspurca. Senhora=criadora mas também criatura, "escrava". Porém, distanciar-se do social implica uma pulsão de morte que

> engloba a destruição e a negatividade que, exploradas ao máximo, provocam no sujeito uma angústia dificilmente suportável. Não há muita distância, nesse ponto, entre a posição feminina, Satã e Deus. A ligação histórica entre Satã e a mulher deriva do medo suscitado por essa orientação "mutante" do segundo sexo[59].

Seres mutantes, as mulheres alencarianas sofrem contínuas metamorfoses: ora virgens, ora bacantes, e de novo anjos de candura. *Lucíola* e *Diva* são títulos que denunciam o parentesco dúplice das mulheres com o demoníaco e o divino. Aurélia é *aurus* – o ouro, deus e demônio do mundo moderno. Encastelada na solidão de mulher carente de tutela real, isolada no seio de uma família postiça, ela é "a poesia que brilha e deslumbra".

Seria a percepção da natureza feminina da palavra poética uma possível explicação para o privilégio dado às mulheres nos romances de Alencar? Seu romance-poema, tido por alguns como sua obra-prima, leva nome de mulher: *Iracema*.

4. PERSONA

... servus no habet personam...

Toda ação romanesca tem como suporte os caracteres que povoam seu mundo. Neste capítulo, a descrição das personagens de *Senhora* terá como objetivo dar sustentação à análise do movimento, que os capítulos posteriores farão. Mas visará, ainda, acompanhar o fio do bordado imagético de que Alencar orna suas criaturas — sobretudo a heroína.

O levantamento descritivo considerará as personagens como elementos de realce da protagonista, cuja psicologia é trabalhada em profundidade. Nisso, aliás, segue-se a orientação de Alencar:

O estudo que o autor propôs-se a fazer foi somente do caráter de Aurélia, ou de seu perfil moral. Todos os outros personagens são incidentes; e apenas saem da penumbra quando ao contacto daquela alma recebem o reflexo de sua luz[1].

1. *Senhora*, p. 344.

Mesmo Seixas que, diferentemente das outras personagens, se transforma no decorrer da narrativa, é assim considerado: "Com as arestas, os ângulos, as sombras e abismos que lhe querias, deixava de ser o marido de Aurélia"[2].

Serão destacadas, primeiro, as personagens secundárias, que convencionei chamar de "platéia". Das duas mais importantes, Firmina e Lemos, alguma coisa já foi observada; outras tantas aparecerão posteriormente. Do ponto de vista contrastivo ou funcional, Firmina – a mãe postiça – serve de garantia da continuidade do espaço público na privacidade da casa de Aurélia. Até antes do casamento, há uma relação de triangulação entre Aurélia, Seixas e o público – que poderá ser representado por Lísia Soares, Alfredo Moreira ou então Firmina. Após o casamento, como o cenário dominante será a casa, a triangulação se sustentará sobretudo através da viúva. Porta-voz da opinião pública, ela traz para o âmbito doméstico o falatório da rua a respeito dos recém-casados[3]. Seu olhar fixo de habitante da platéia costuma ler de cabeça para baixo a realidade das relações do casal a quem vigia. Aplaude sua fingida troca de gentilezas porque, na sua ótica, isso "revelava os extremos de amor dos noivos um pelo outro"[4]. A um dado momento, encontramos Firmina, de costas para o casal sentado no sofá. O silêncio reinante entre ambos é resultado de seu alheamento. Firmina, todavia, o interpreta pelo lado contrário. Supõe a existência de "abraços e beijos furtivos que surpreenderia, se de repente se voltasse para o sofá"[5]

Lemos, tio e tutor, personagem negativa de maior destaque, encarna a moral hipócrita do mercado: é absolutamente vil, interesseiro e calculista. Para ele não há distinção entre família e sociedade, entre sentimento e negócio; de modo que aplica as leis do comércio a todos os setores da vida. É tratado de modo acentuadamente irônico pelo narrador e rispidamente por sua sobrinha. Mas a relação entre a moça e seu tutor não deixa de ser

2. *Idem*, p. 342.
3. Cf. *Senhora*, p. 270.
4. *Senhora*, p. 271.
5. *Idem*, p. 272.

dúbia. Lemos é fundo conhecedor das leis do interesse que regulam a vida social, e usa esse conhecimento em benefício próprio. É calculista. A sobrinha, que o despreza, age porém da mesma forma. Seixas, aliás, se encarrega de denunciar a semelhança: "A senhora tem uma sagacidade prodigiosa! Bem mostra que é sobrinha do Sr. Lemos"[6]. O tutor desempenha um papel fundamental na economia narrativa. A perfeita execução da primeira parte do plano de Aurélia requer que ela se mantenha oculta. A moça moverá seus cordéis à distância, através da pessoa do tio, que cuidará da parte pública da transação matrimonial. Voltarei a esse ponto adiante.

Além dessas, há as personagens mais distates do centro dos acontecimentos, as quais podem – *grosso modo* – ser divididas em dois grupos. As que pensam e agem de acordo com a hipocrisia da sociedade; e as que conservam alguma pureza de sentimento. As primeiras funcionam como formas diversas de expressão do processo de leitura invertida do real: a Lísia Soares e o Alfredo Moreira.

Torquato Ribeiro, Adelaide do Amaral e Eduardo Abreu fazem contraponto ao casal Aurélia-Seixas. Abreu contrasta com Seixas e com os demais namorados que assediam a janela da moça pobre. Diferente deles, não é leviano mas "sisudo e não propenso a aventuras"[7] além de rico e de excelente família, o que o torna um atraente partido. Isso reforça a determinação e a fatalidade do amor de Aurélia. Pois Abreu é diferente de Seixas. Contra as constantes vacilações deste, aquele se mostra conseqüente com sua decisão de pedir a mão de Aurélia, apesar do inconveniente do matrimônio com moça pobre. Os olhos de Abreu são capazes de enxergar, para além do corpo, a pureza da moça, o que impressiona seu espírito. Percebendo isso, Aurélia lhe diz que só não aceita seu pedido porque já não se pertence.

O narrador dá como "natural" a vacilação que antecede o pedido de Abreu. Assume a posição da manutenção da ordem, que não facilita o casamento entre classes sociais diferentes. Dos romances a que venho me refe-

6. *Idem*, p. 281.
7. *Idem*, p. 241.

rindo, nenhum mostra esse quadro. O inverso, sim, é comum: o rapaz pobre mas talentoso justifica, por qualidades morais e espirituais, o casamento com mulher rica. É o que acontece em *Diva, Sonhos d'Ouro* e *A Pata da Gazela*. A situação da mulher, porém, é outra. Seu único "talento" reconhecido é a beleza corpórea, quando é pobre; e o ouro de seu dote, quando rica. A mulher pobre que busca atrair pela beleza corpórea lança-se necessariamente no rumo da prostituição. A restrição imposta à mulher, de usar como arma de sedução apenas a corporeidade — da carne ou do ouro — justifica o fato de que o espírito, negado e aprisionado pelos grilhões da materialidade, anseie por escapar para o alto, por todas as frestas da matéria. Uma espécie de compensação contra a força social terrena que impede a metamorfose da larva em borboleta.

Torquato Ribeiro é outro membro da família dos rapazes sem recursos porém honrados. Esteio da Aurélia pobre, é socorrido por ela quando rica. Entre os pares Torquato-Adelaide e Seixas-Aurélia há um jogo complicado. Constituídos dessa forma no passado da pobreza, são separados e refeitos de modo inverso, graças à intriga interesseira de Lemos. Adelaide é afastada de Torquato, que a ama, para se aproximar de Seixas que se interessa por seu dote. Em conseqüência, Seixas é afastado de Aurélia por uma operação de subversão praticada por Lemos, que sugere ao pai de Adelaide a ruptura do noivado com Torquato. De modo que há ironia, além de castigo, no fato de Aurélia, rica, designar o tio como agente da reaproximação dos pares que ele mesmo desfizera. Mas há também analogia entre a astúcia do velho — que manipulara às escondidas os dados do jogo de acordo com seu interesse — e o que faz Aurélia reorganizando esses elementos.

Voltemos nossos olhos agora para os atores principais. Aprofundemos sua descrição de modo a sublinhar o contraste entre ambos. No que se refere a Aurélia, ela é na grande maioria das vezes descrita em trânsito: subindo as escadarias do teatro; atravessando a sala de sua casa; percorrendo a câmara nupcial antes da entrada do marido; erguendo-se do chão para entrar no carro que a levaria em visita; valsando com Seixas em sua casa; ajoelhando-se aos pés do amado para lhe suplicar, ao final, que aceite seu amor.

Tomemos como exemplo as descrições dos capítulos X e XII da primeira parte. Ambas extremamente minuciosas, apanham a beleza fulgurante da mulher, das vestes ao corpo, dos cabelos aos pés. Detalhes abundantes, adjetivação predominantemente impressionista, riqueza de formas, movimento e cores, essas descrições visam a provocar supresa através da impressão de abundância, luxo e luxúria[8]. Por aí, entre outros, Aurélia é o oposto de Seixas. Ele – passivo, cinzento, contido. Ela – ativa, brilhante, luxuriante. "Luxúria" aqui é algo que ultrapassa o nível estritamente sexual e sensual. Remete à pertinência cósmica de Aurélia, à riqueza de mundos em que ela tem trânsito livre. Participa de todos os reinos: mineral, vegetal, animal; e das condições humana e divina. É ouro, mármore, jaspe; tem dentes de pérola e orelhas de nácar; é flor, leoa, borboleta e cisne; é mulher, é deusa e demônio. Participa também dos quatro elementos. Tem o fogo prometéico da espiritualidade, mas também o da corporeidade da feiticeira, fogo de conhecimento carnal e intelectual; artista criadora e bacante. Mas é também o cisne que habita as águas; suas vestes são ondas onde seu corpo nada[9]. Da terra guarda não só as formas da pedra mas também a da crisálida, larva que habita o chão antes de alçar vôo. Enfim, é a bela borboleta, produto da metamorfose do inseto terreno. Sem dúvida, seu elemento dominante é o fogo, o que explica a importância das imagens ligadas à luz: sol, estrela, brilho, raio etc... Em segundo lugar o ar, donde a recorrência da imagem da metamorfose da crisálida em borboleta. Por isso, ela é também sílfide – espírito do ar; e salamandra – o espírito do fogo[10].

Fogo e ar se assemelham na tendência comum para a elevação, para a superação da gravidade na subida ao céu, a recusa do peso que caracteriza os outros elementos – água e terra. A operação de transmutação artística

8. Cf. *Senhora*, p. 216.

9. *Idem*, p. 227.

10. A propósito, veja-se que Jean-Pierre Richard faz uma belíssima análise dos caracteres na obra de Balzac, tomando como referencial o predomínio do elemento fogo: "Pois para Balzac toda existência, na sua origem e no seu fim, na sua manifestação ou seu limite, enfim, na sua linha de destino pode ser imaginada como incêndio". Cf. "Corps et Décors Balzaciens", in *Études sur le Romantisme*, Paris, Seuil, 1970, p. 7.

do real em imagem tem algo desse labor alquímico pelo qual o mais denso se torna fluido, o que está embaixo se eleva. O fogo artístico opera a passagem do grotesco – inferior e terreno – ao sublime – superior e celestial. Na ótica de Alencar, fogo e ar são as marcas do artista criador. Por isso o fogo que caracteriza Aurélia é descontínuo e se manifesta por golpes sucessivos, por espasmos. "Sua norma será a crise", mesmo porque de acordo com Nietzsche, o fogo está ligado "ao capricho da metamorfose"[11].

As formas minerais – ouro, mármore e jaspe – não são somente os grilhões que a impedem de seguir o rumo para o alto, caminho imposto por sua natureza ígnea e etérea. Posta em estado de crise, no fogo do desejo de amor e conhecimento que a mantém em constante combustão, a frieza da pedra e da palavra irônica torna-se o local de refúgio desse desejo desenfreado. O fogo do imaginário artístico ardente, que intui a obra, se equilibra pela frieza do cálculo com o qual paralisa a presa-modelo. A natureza compósita de Aurélia aparenta-a a pelo menos dois seres míticos: a Esfinge, monstro de pedra, cabeça e seios de mulher, asas de pássaro, pés de leão; e o Minotauro: cabeça de touro, corpo de homem[12]. Seu caráter enigmático e a trajetória labiríntica que, como veremos, imporá à reeducação do marido, sublinham esse parentesco.

Desde pobre ela é "mui senhora de si"[13]: ativa, dominadora, calculista, masculina. O par formado com Seixas significa uma inversão de valores. Ele – dócil e delicado; a natureza branda da cera. Percebendo a troca de papéis, D. Firmina Mascarenhas credita-a "à inversão que têm sofrido nossos costumes com a invasão das modas estrangeiras", crendo que "o último chique de Paris devia ser esse de trocarem os noivos o papel, ficando ao fraque o recato feminino, enquanto a saia alardeava o desplante do leão"[14]. A estrutura da língua oculta essa inversão quando constrange o nome próprio

---

11. *Apud* RICHARD, J.P., cit., pp. 8-9.
12. Cf. BORGES, J.L. e GUERRERO, M. *O Livro dos Seres Imaginários*, Porto Alegre, Globo, 1981, pp. 68 e 97.
13. *Senhora*, p. 239.
14. *Idem*, p. 265.

a ostentar as marcas convencionais de gênero: *a* para o feminino Auréli*a*, *o* para o masculino Fernand*o*. Entretanto, o nome de família transgride essa ordem, revelando o que ficara encoberto. Aurélia é Camarg*o*; Fernando é Seix*as*. É sintomático que Aurélia quase nunca pronuncie o nome próprio do marido, a não ser no final do romance, quando os papéis de novo se invertem.

O contraste entre Aurélia e Seixas – expressado nas polaridades masculino/feminino e ativo/passivo – pode ser rastreado na posição de cada um dentro das respectivas famílias de origem. O capítulo VI da primeira parte caracteriza a posição de Fernando, órfão de pai, perante a mãe e as irmãs. As três o tratam com a delicadeza que se dedica a um ser precioso. Mimando-o ao extremo, elas se desdobram no trabalho caseiro e na costura para desobrigar o "seu Fernandinho" de qualquer preocupação em contribuir para a despesa doméstica. A palavra dessas mulheres, quanto ao que podem pretender da vida é, significativamente, a mesma que regerá o marido de Aurélia: resignação. Mariquinhas, a irmã mais velha, carrega o fardo "do aleijão social, que se chama celibato" mas "com serena resignação"[15]. A mãe, quando o único filho varão atinge a maioridade, "nele resignou a autoridade que exercia na casa". O "seu Fernandinho", porém, não só não age virilmente, pois não responde pelo sustento da família, como acaba dilapidando seu parco patrimônio. Vê-se que a autoridade do Fernandinho não vai além da mera fachada.

Bem diferente é a situação de Aurélia perante sua família. Com relação a mãe, pai e irmão, ela é o único caráter resoluto e determinado. A mãe é da estirpe das mulheres que vimos na família de Seixas. Feita para a reclusão doméstica, para morrer em vida após a morte do marido. Natureza negativa por definição, sua palavra é "ab-negação". O pai, Pedro Camargo, submetido à tutela de um pai autoritário ao extremo, sucumbe antes de conseguir se impor como indivíduo dotado de vontade própria. Finalmente o irmão – Emílio – é somente a forma lingüística masculina da mãe – Emília. Fraco como ela, irresoluto como o pai, era um "espírito curto

---

15. *Idem*, pp. 201-202.

e tardio"[16]. Inepto para qualquer ofício, nem mesmo o cálculo finaceiro rudimentar, que lhe exigia a profissão de caixeiro de corretor de fundos, lhe vinha com facilidade. Era Aurélia quem pacientemente punha-se a auxiliá-lo. Tornou-se ela "o corretor que fazia todos os cálculos e operações, ou arranjava o preço corrente". Sua aptidão para o cálculo, além de sua determinação de caráter, despontam já no passado pobre.

Aurélia se assemelha a seu avô. Essa estranha personagem, natureza violenta e dominadora, é quem afinal decide o destino de toda a família de Pedro Camargo. Por sua vontade, Aurélia e os seus vivem uma situação dúbia e humilde até os dezoito anos da moça. E, ainda por sua vontade, repentinamente alterada, ela se vê da noite para o dia transformada em herdeira de milhões. O capricho é, pois, a palavra que define o velho Camargo. O mesmo que ele fizera à neta, ao nomeá-la sua herdeira, ela fará com Seixas através de seu testamento. Calculista por natureza, caprichosa como o avô: eis a definição de nossa heroína. Dissimula, sob a aparência da volubilidade, a rígida determinação de sua vontade. Daí a impressão de profundidade que tem seu caráter.

Como disse, Aurélia é descrita com freqüência como estátua que se movimenta. O narrador tira de suas aparições um grande efeito cênico e um alto poder de sugestão. Um trecho da descrição do capítulo XIII permite observar como isso se dá. Após oficializar o casamento, Aurélia entra na câmara nupcial onde deverá, em seguida, revelar ao marido sua situação. A descrição antecede a entrada de Seixas. Desse modo, é para o olho do leitor que se descortina o espetáculo de sua beleza:

O casto vestuário da moça recatava-lhe as graças do talhe; entretanto quando ela andava, e que seu corpo airoso nadava nas ondas de seda e cambraia, sentia-se mais n'alma do que nos olhos o debuxo da estátua palpitante de emoção. A cada movimento que imprimia-lhe o passo onduloso, acreditava-se que o broche da ombreira partira-se, e que os véus zelosos se abatiam de repente aos pés dessa mulher sublime, desvendando uma criação divina, mas de beleza imaterial, e vestida de esplendores celestes[17].

16. *Idem*, p. 234.
17. *Idem*, p. 227.

A moça não se desnuda; é o narrador quem sugere ao leitor que a desnude com os olhos da alma. Há uma diferença sensível em relação a *Lucíola*. Lá a mulher ostentara de fato sua nudez a Paulo, aos participantes da orgia na casa do Sá e aos olhos do leitor. Aqui o desnudamento é indicado por sugestão como tarefa a ser realizada, fora da obra, pela imaginação do leitor.

O movimento faz com que a fria estátua revele, pelas dobras da roupa que se agita, o fogo da emoção que aquece e anima seu interior. Pelo movimento, o oculto se deixa entrever através do aparente. Mas, vimos, só os olhos da alma conseguem captá-lo: "... sentia-se mais na alma do que nos olhos..." O andar da estátua põe em risco a integridade do broche que garante a cobertura de sua nudez. O andamento da narrativa porá em risco, a cada passo, a nudez da verdade plenamente revelada. A estátua, ao andar, impede-nos captá-la na sua integridade. O que o olho do corpo registra, a cada momento, é somente uma das suas facetas. Cabe ao olho da alma, o imaginário, completar o fragmento, recuperar o todo. Cabe à arte, o imaginário objetivado, realizar a "junção inconcebível", "reunir o corpo fragmentado"[18]. Se somente na tirania é possível garantir o definitivo e a plenitude, na ausência dela só o imaginário pode fornecer a ilusão da plenitude. Para Leonardo da Vinci, a plenitude só pode ser encontrada na própria imaginação:

Eles se repelem. Eles possuem o mesmo desejo, mas não se entrosam. As duas figuras vivem na ilusão, ainda que estejam unidas. Elas procuram a sua plenitude na união, mas, na verdade, encontram-na apenas na sua própria imaginação[19].

Para compreender a situação social peculiar de Aurélia, comparemo-la a outras heroínas aqui referidas. Diferente de Carolina e Lúcia, Aurélia não chega à consumação do ato de prostituição. Ao contrário, ela é, de um modo altamente ambíguo, a quintessência da virgindade: virgem até depois do casamento. Como Carolina e

---

18. BARTHES, R. "Masculino, Feminino, Neutro". In: *Masculino, Feminino, Neutro-Ensaios de Semiótica Narrativa* (vários autores), Porto Alegre, Globo, 1976, p. 12.

19. Apud HOCKE, G. *Maneirismo: O Mundo como Labirinto*. São Paulo, Perspectiva/EDUSP, 1974, p. 293.

Lúcia, ela provém de um estrato social inferior, o que de si coloca a mulher em situação de extremo perigo. Ao contrário de Carolina, ela não deseja sair do regaço familiar pois tem-no em alto apreço, no que se assemelha a Lúcia. Expulsa dele pela orfandade, procura uma família vicária: pensa em se empregar em casa de família. Rica, providenciará o arranjo de uma família postiça. Como Emília, de *Diva*, Aurélia impõe respeito por sua virgindade, mas diferente daquela, deixa entrever o tempo todo uma máscara de virgindade mal encobrindo a bacante sempre em vias de aflorar. Amaral demonstra profunda perplexidade diante da atitude desencontrada de Emília: o extremo pudor aliado à ousadia de marcar um encontro solitário a uma hora da manhã. Perplexo fica Seixas ao descobrir que a mulher com quem se casara perante Deus e a sociedade, ousava trancar-lhe a porta de acesso à câmara nupcial: a mesma ousadia, às avessas. Aurélia usa calculadamente seu pudor, indiretamente denunciando-o como cobertura do despudor. A isso me referi ao lembrar a ambigüidade da virgindade levada às últimas conseqüências. Adiante veremos que essa é uma tática do plano da moça.

Um traço é marca somente de Aurélia. Sua absoluta solidão se manifesta na ausência completa de família natural e de tutela. Carolina vive a experiência da prostituição acompanhada de perto pelos membros da família: o primo, o pai, a mãe. Lúcia tem ainda um último elo que a prende ao sagrado círculo familiar: a irmã mais jovem. Emília encontra no pai ingênuo e na tia bondosa uma tutela branda, porém efetiva. O mesmo ocorre com Amélia, de *A Pata da Gazela*, e com Guida, dos *Sonhos d'Ouro*. Em todos esses casos subjaz a idéia de que, seja definitivamente, pela perda dos pais legítimos, seja temporariamente, por excesso de complacência familiar, a moça em idade núbil corre grande risco quando entregue à própria vontade e liberdade. Em alguns casos, cabe ao rapaz de boa índole – geralmente pobre – zelar pela reputação que essas donzelas milionárias, na sua comédia de emancipação, põem em risco inadvertidamente. A menina, entregue a si própria, ensaia o vôo e, virando mulher, se torna borboleta-mariposa.

É o que diz o Sá a Paulo que lhe pede confirmação do caráter imoral e interesseiro de Lúcia:

Essas borboletas são como as outras, Paulo; quando lhes dão asas, voam, e é bem difícil então apanhá-las. O verdadeiro, acredita-me, é deixá-las arrastarem-se pelo chão no estado de larvas[20].

Semelhante é o raciocínio de Lemos quando a sobrinha põe-se à janela à procura de pretendente. Pensando que a moça só esperava por aquele que a arrancaria da vida obscura para levá-la ao mundo do luxo, ambicionou ser "o empresário dessa metamorfose, lucrativa para ambos"[21]. Rechaçado, concluiu que "esse coração de mulher ainda estava passarinho implume; quando lhe acabassem de crescer as asas, tomaria o vôo e remontaria aos ares".

Anjo e borboleta, opostos que figuram a mulher como deusa ou demônio, têm em comum as asas. Por elas, o anjo puro desce dos céus e encarna como figura terrena, a larva. Mas pode adquirir asas e virar então borboleta-mariposa. De todo modo, o destino da mulher é a altura, seja como anjo ou como prostituta. Curioso é que a imagem da transformação da crisálida em borboleta remete também à idéia da fertilidade, que caracteriza o imaginário feminino.

Alencar usa o verbo "borboletear" para descrever o livre curso do imaginário sem compromisso com as coisas sérias da vida. Um passo a mais e veremos na imaginação que produz romances algo tão volúvel e pouco sério como a das mocinhas graciosas e levianas. Ambas perigosas porque falam demais; dizem o que não deve ser dito, pensam o que não deve ser pensado, revelam o que deve ficar oculto. A uma e outra devem-se-lhes cortar depressa as asas. Numa crônica, Alencar compara explicitamente seu ofício ao das cabecinhas brincalhonas e aparentemente ocas de suas futuras heroínas[22], o que nos remete à natureza feminina da palavra narrativa.

20. *Lucíola*, p. 10.
21. *Senhora*, p. 238.
22. "Obrigar um homem a percorrer todos os acontecimentos, a passar do gracejo ao assunto sério, do riso e do prazer às misérias e às chagas da sociedade; e isto com a mesma graça e a mesma *nonchalance* com que uma senhora volta as páginas douradas do seu álbum, com toda a figura e delicadeza com que uma mocinha loureira dá sota e basto a três dúzias de adoradores! Fazerem do escritor uma espécie de colibri a esvoaçar em ziguezague, e a sugar, como o mel das flores, a graça, o sal e o espírito que deve necessariamente descobrir no fato o mais comezinho! / Ainda

Aqui também a posição do escritor é extremamente ambígua. Por um lado, acata a moral vigente que considera o exercício da imaginação algo fútil, quando não perigoso, por isso as heroínas virgens encontram no casamento o corretivo que lhes cala a boca ousada. Às que consumaram a prostituição resta ou um castigo eterno – como para Carolina; ou a morte como redenção – caso de Lúcia. Entretanto, o castigo é apenas o instante final de suas trajetórias. É bem verdade que de *As Asas de um Anjo* até *Senhora*, passando por *Lucíola* e *Diva*, o peso relativo da voz da moral masculina dominante se abranda sensivelmente. Mas o corretivo está sempre lá, ao final. Antes disso, porém, muita água rolou, muita crítica aguda brotou da boca despudorada dessas mulheres. A faceta mais saborosa de Alencar é, sem dúvida, esse demonismo feminino, essa corrente subterrânea que mina, lenta mas inexoravelmente, o sólido arcabouço da moral dominante. Deixemos que raivem os moralistas e que cortem, no fim, as asas da bela borboleta. Contanto que gozemos o instante romanesco fugaz da liberdade de vôo.

O casamento administrado no momento exato é, como disse, a tesoura que talha as asas das donzelas borboleteantes. Aurélia, porém, é caso único: não é prostituta e não tem tutela real. Ela maneja seu tutor com a mesma habilidade com que calcula sua fortuna ou planeja a estratégia de compra do marido. Única ainda pela astúcia de impedir ingerências da sociedade em sua vida ostentando-lhe os simulacros de virtude e legalidade: mãe e pai de aparato, matrimônio sancionado pela Igreja e atestado em cartório. Em suma: Aurélia é a única das heroínas que não tem quem lhe corte as asas. Sua situação é simetricamente oposta à de Carolina, a primeira das despudoradas. O despudor desta é absurdamente cândido. Crê possível exibir à própria sociedade, pelo espelho da palavra crítica, a repulsiva nudez social

---

isto não é tudo. Depois que o mísero folhetinista por força de vontade conseguiu atingir a este último esforço da volubilidade, quando à custa de magia e de encanto fez que a pena se lembrasse dos tempos em que voava, deixa finalmente o pensamento lançar-se sobre o papel, livre como o espaço. Cuida que é uma borboleta que quebrou a crisálida para ostentar o brilho fascinador de suas cores; mas engana-se: é apenas uma formiga que criou asas para perder-se." *Teatro Completo*, v. 1, p. 50.

em pelo. Não por casualidade a peça teve problemas com a censura, na época. Depois do erro da Carolina, sua irmãs foram aprendendo a lição. Não deixaram de ser criticamente despudoradas. Deixaram só de ser ingênuas. Foram refinando a arte de dissimular o "streap-tease". A última delas, Aurélia, descobriu que para poder ir fundo no despudor da crítica feroz seria preciso ostentar o artificial e extremado pudor de aparato: a virgindade após o casamento.

Voltemo-nos, agora, para Seixas. Contrariamente à forma de aparição da mulher, ele é sempre mostrado em imobilidade. Sua descrição física mais minuciosa está no capítulo V da primeira parte. Começa flagrando o rapaz imóvel "derreado (...) no sofá da sala, a ler uma das folhas diárias..."[23]. A peça descritiva é bastante sóbria e contida. Há menos adjetivos impressionistas, predominando a objetividade do retrato cujo foco principal são os traços do rosto. O uso da sugestão se limita a uma breve referência à ternura dos olhos que "há de torná-los irresistíveis quando o amor os acende". Quanto ao resto do corpo, a pena toca somente o talhe, a estatura e o pé. De tudo emana uma atmosfera de elegância aristocrática, graciosa porém viril. Em comparação com a luxúria da descrição de Aurélia, o que se vê aqui é de um extremo recato. E não só por uma questão de verossimilhança, mas também pela coerência interna do relato. Os sinais, como vimos, estão trocados: à mulher, o dinamismo, a sensualidade, a exuberância e a ação; ao homem, a imobilidade, o recato, a docilidade, as cores apagadas, a passividade. Depois de casado e ciente de sua situação, Seixas sublinhará propositalmente esses traços, regendo suas ações por obediência e resignação estrita.

Não há metáforas na descrição do rapaz. Distinguindo entre o simbólico e o verossímil, Barthes vincula aquele a todo discurso substitutivo e este a um modelo entimemático — silogístico — e não metafórico[24]. Se adotarmos essa distinção, diremos que a palavra que desenha Aurélia é metafórica: é a arte, o imaginário, o simbólico. Pois ela é "a poesia que brilha e deslum-

---

23. *Senhora*, p. 197.
24. "Masculino, Feminino, Neutro", p. 8.

bra"[25]. Seixas é apontado, sobretudo, através da palavra lógica, aqui vinculada à "vil prosa" a que a heroína se refere com desprezo. A mulher é cósmica; o retrato objetivo do homem mostra sua aderência completa à sociedade de mercado. Ao contrário do que sucede àquela, o aqui-agora é para Seixas sua própria natureza. Freqüentando a alta roda onde ostenta elegância e costumes aristocráticos forjados, não pretende do futuro outra coisa senão a continuação linear do presente. Aurélia, ao contrário, trabalha para a supressão do presente degradado, projetando no futuro a recuperação do idílio passado. Os projetos de Seixas se resumem a fugir de qualquer casamento que possa significar reclusão no espaço doméstico e privação material; e a ambicionar um dote matrimonial que lhe permita arranjar-se financeiramente.

É significativo que Seixas, contrariamente aos bons moços dos demais romances urbanos, seja qualificado como "carioca da gema". Paulo, de *Lucíola*, é natural de Pernambuco; Ricardo, de *Sonhos d'Ouro*, vem de São Paulo. Leopoldo, de *A Pata da Gazela* e Amaral, de *Diva*, embora não sejam da província, não são do círculo dos ricos e, principalmente, não aspiram a ele. De modo que é nítida a ligação entre a Corte fluminense – local onde viceja a sociedade mercantil – e a desagregação dos valores ainda intactos na província ou no seio da pobreza recatada. A idéia de "Corte" se relaciona, nesse contexto, à de "cortesã". Por isso, Seixas está próximo de Horácio – de *A Pata da Gazela* – que, além de leão da moda, é rico e fetichista.

Natureza moral dúbia e maleável, Seixas é, de algum modo, o antepassado ilustre e refinado da figura do malandro a que se refere Roberto da Matta[26]. O "jeitinho" e a "malandragem" permitem relacionar o mundo público das leis impessoais com o universo privado da casa. O andar coleante do malandro figura seu percurso social, sempre a meio caminho entre a lei e a polícia. Acuado pela mãe de Aurélia, Seixas age na ginga dessa

---

25. *Senhora*, p. 186.
26. Cf. MATTA, R. "Para uma Teoria da Sacanagem: uma Reflexão sobre a obra de Carlos Zéfiro". In. *Arte Sacana de Carlos Zéfiro*, Rio de Janeiro, Marco Zero, 1983, p. 27.

malandragem: para, "furtar-se ao dilema (...) delineou uma vereda sinuosa (...) serpeando entre o amor e o interesse"[27]. A rapidez com que ele consegue pacificar a própria consciência dá a medida dessa maleabilidade.

Seixas só não recebe do narrador um tratamento mais acre por alguns motivos. Em primeiro lugar por exigência de sua função na narrativa. Essa razão é apontada por Elisa do Vale: "Fernando não é um homem vil. Tem a honestidade vulgar, com que a sociedade acomoda-se"[28]. E continua mostrando que, para funcionar como contraponto do caráter explosivo e veemente da mulher, Seixas não poderia ser de outro modo.

> Se tivesse a rigidez da probidade, não seria comprável; se, ao contrário, houvesse já caído na abjeção, ele saberia na noite do casamento representar a comédia de amor, de modo a iludir a mulher, que não desejava outra cousa, a mísera[29].

Alencar alude, na carta ao leitor, à noção de contraste que explica os quadros plásticos e as cenas em relevo no romance. É a noção que norteia a composição do protagonista. Diz Elisa:

> Na vulgaridade de Seixas está precisamente o cunho artístico do personagem. Com as arestas, as sombras e abismos que lhe querias, deixava de ser o marido de Aurélia.

A grandiosidade da alma de Aurélia se revela no confronto com a mediania do marido. Por isso ele é tratado de modo diferente do de Horácio, de *A Pata da Gazela*. Esse último romance estrutura a narrativa como enigma. A heroína não é uma natureza problemática e obscura como Lúcia, Emília ou Aurélia. O enganoso não é o caráter da mulher mas o caminho que Horácio segue em busca do objeto de seu desejo. Desta forma, não sendo profunda a psicologia da mulher, não há necessidade de personagem contrastante. Disso resulta que, enquanto em *Senhora* o narrador é dúbio no que se refere à moral de Seixas e contido nas alusões irônicas, desforra-se em Horácio. Contempla-o com freqüentes

---

27. *Senhora*, p. 241.
28. *Idem*, p. 341.
29. *Idem*, p. 342.

referências mordazes à sua falta de princípios e, mais, com o mórbido e sempre ridicularizado fetichismo da busca do pé.

Em *Senhora*, a crítica à cegueira do homem a seu próprio respeito é dividida entre o narrador e a heroína. Amélia não pode fazer com Horácio o mesmo que Aurélia com Seixas, porque aquela não tem densidade psicológica. *Senhora* põe as personagens principais em confronto direto porque a mulher, aí, exerce livremente seu direito de expressão[30]. Além do mais, o caráter de Horácio se apresenta, desde o início, de forma já cristalizada pelo fetichismo materialista, o que torna impossível qualquer modificação. Ao contrário, a cera branda de que é feito Seixas, no contacto com o fogo artístico da mulher, passará por um processo de fusão e remodelação, ao final do qual encontraremos um outro homem.

A análise comparativa dos modos predominantes de descrição de Aurélia e Seixas leva a uma observação interessante. A mulher, em seu dinamismo e profundidade, aparece principalmente como estátua; o homem, estático e raso, é mostrado como quadro. Pintura e escultura são lavores artísticos de natureza diferente. O quadro, realidade imediata, "sem profundidade, sem reverso e sem coração" mostra de antemão o "nada de seu segredo". A estátua, ao contrário, comporta "uma espessura a ser investigada"[31]: ser secreto, arrasta o leitor à paixão da decifração.

O conservadorismo no romance urbano de Alencar se manifesta por uma rígida segregação dos grupos sociais e pela veiculação de uma moral que muda de acordo com a posição sócio-econômica dos indivíduos.

Guida, a heroína milionária de *Sonhos d'Ouro*, dá-se o desfrute de permitir que sua cachorrinha de estimação mate um a um os pintos da única galinha que sobra-

---

30. É o que Alencar chama de maneira "dramática" de estudar a alma, no estilo de Shakespeare, por oposição à maneira "filosófica" de Balzac. O autor diz ser preferível a primeira. Cf. *Senhora*, p. 342.

31. "Masculino, Feminino, Neutro", p. 14.

32. ALENCAR, J. *Sonhos d'Ouro*. In: *Romances Ilustrados de José de Alencar*, 7. ed., Rio de Janeiro, J. Olympio; Brasília, INL, v. 6, pp. 197-199.

ra a um casal de miseráveis habitantes da redondeza. Permite, depois, que seu cavalo quebre a pouca louça de que a família dispõe e pisoteie a andrajosa roupa estendida no varal. Tudo isso, no entanto, se arranja porque a moça paga regiamente por seu divertimento. Ao rico tudo se perdoa. Ao pobre, nada se permite a não ser o trabalho duro. Guida passa seu tempo numa seqüência de lautos almoços alternados com passeios em que se compraz zombando de todos. A essa milionária se dá, entretanto, o direito de reprovar o miserável Simão, que sustenta a família com parcos recursos provenientes da pesca e de uns pés de banana. E a reprovação vai direto ao xis da questão: pobre não tem direito de ficar doente. Para o narrador, o mal de Simão é fruto de crendice própria de gente de baixa extração. Para Guida, é simplesmente manha. Por isso, Simão deve largar a cama e trabalhar. E o resultado da cena é que a imagem da moça sai engrandecida aos olhos de Ricardo para quem "as faltas que ela comete são ocasiões para uma liberalidade, que talvez nunca lhe inspirasse espontaneamente o sentimento da caridade"[32].

Essa separação entre os grupos sociais só é quebrada pela possibilidade de ascensão social do moço pobre e talentoso[33], não havendo para a moça pobre, como vimos, a mesma alternativa. A mãe de Seixas, levada pelo filho ao teatro pela primeira e única vez na vida, sentiu "um aroma de orgulho"; mas como se trata de uma mulher pobre, o narrador se apressa em explicar que era um "orgulho repassado de susto, que é antes a consciência da própria humildade, do que desvanecimento de egoísmo"[34].

E aqui tocamos um ponto essencial para a compreensão da dimensão teatral do universo burguês do dinheiro, que aparece em *Senhora*. A Aurélia pobre é, como cabe a um pobre, recatada, ingênua, sem pretensões. A Aurélia rica será dissipada, pródiga, calculista, egocêntrica. Imagem do ouro, ela será sua máscara. Ao pobre não cabe o "desvanecimento de egoísmo", pois

33. ANTONIO CANDIDO em "Os Três Alencares" tece considerações a respeito da posição social e econômica como preocupação central dos romances alencarianos da cidade e da fazenda. Cf. v. 7 da obra citada na nota anterior, pp. XVI-XVII.

34. *Senhora*, p. 203.

não lhe compete possuir um ego. É através do ouro que o ego desdobrado vira "persona" – a máscara teatral. Assim, a transformação da mulher pobre em atriz é operada pelo dinheiro. Na ingenuidade da pobreza, Aurélia se espantara com a pergunta de Seixas: "– E a senhora, D. Aurélia? (...) Ama-me?"[35] Sua resposta, confusa, é outra pergunta que revela a inconsciência de si enquanto individualidade: "– Eu?" A moça não se reconhece ainda como ego autônomo e independente. Tanto que diz a Seixas que somente ele poderia saber. Aurélia pobre também é da família das abnegadas. Rica, entretanto, ela mostra plena consciência de sua individualidade; por isso, "sentia-se profundamente humilhada pensando que para toda essa gente que a cercava, ela, a sua pessoa, não merecia uma só das bajulações que tributavam a cada um de seus mil contos de réis"[36].

Relatando o processo pelo qual a ideologia capitalista opera a separação entre "indivíduo" e "sujeito" e entre "eu" e "pessoa"; e referindo-se ao conceito de "pessoa" como indivíduo titular de direitos, isto é, como proprietário privado, Massimo Canevacci usa uma frase latina que sintetiza a oposição dos grupos sociais que apontei, bem como sua conseqüência literária: "servus non habet personan"[37]. *Persona* juridicamente é o titular de direito; quem não tem propriedade, o servo, não tem *persona*. No teatro, só aos proprietários se confere "persona", a máscara.

Assim, a teatralidade é o modo de ser da sociedade de mercado porque é pela transformação do servo em indivíduo livre, proprietário de sua força de trabalho, que se constituem as "personae": proprietários e máscaras. Cito um trecho da introdução da *Dialética do Indivíduo* que esclarece esse processo de transformação como processo de individuação:

Marx dizia que "o homem só se isola através do processo histórico", e que a troca é um dos principais meios da relação isolamento – individualização já que 'torna supérfluo o gregarismo e o dissolve'[38].

35. *Idem*, p. 240.
36. *Idem*, p. 183.
37. CANEVACCI, M. *Dialética do Indivíduo*. São Paulo, Brasiliense, 1981, p. 11.
38. *Idem*, p. 7.

O perigo da dissolução familiar é, com freqüência, denunciado no romance urbano alencariano. Em *Lucíola*, a prostituição se explica em função da dissolução da família. Em *Diva*, sugere-se que a morte da mãe de Emília, quando esta ainda era criança, e a branda autoridade do pai são as causas das ousadias da moça. Em *Senhora*, a perda da família natural provoca a tragédia de Aurélia, sua liberdade. Para ela é trágico o processo pelo qual se torna consciente de si como indivíduo livre.

Senhora parece refletir o processo externo assistido pela nascente sociedade burguesa brasileira contemporânea de Alencar. Pelas frestas do universo patriarcal e gregário sopravam os ventos do individualismo da sociedade de mercado. Os homens livres iam pouco a pouco ascendendo na escala social[39]. Minado nas bases, o escravismo receberia poucos anos depois o golpe de misericórdia. Se essa suposição for correta, trata-se de um reflexo peculiar. Na dissolução do sistema escravista, a relação entre senhor e escravo, mediada pelo viés amoroso, aparece como movimento duplamente retrógrado: porque resgata para a escravidão tanto o homem, ex-indivíduo livre, como a mulher, que desejaria nunca ter deixado de ser escrava.

---

39. Cf. FREYRE, G. *Sobrados e Mucambos*. 5.ed., Rio de Janeiro, J. Olympio; Brasília, INL, 1977, 2º tomo, capítulo XI.

5. *OUVERTURE*

> ... *uma espécie de tigre infinito. Esse tigre era feito de muitos tigres, de estonteante maneira;*
>
> J. L. BORGES

O parágrafo de abertura de *Senhora* é curto e incisivo: "Há anos raiou no céu fluminense uma nova estrela"[1]. Em relação aos que iniciam *Lucíola* e *Diva*, a mudança é cabal. As certezas desaparecem: tempo indefinido, espaço, idem. *Lucíola* localizava-se no Rio de Janeiro; a ambiência, agora, é sideral: o céu fluminense. O habitante desse espaço é um corpo celeste indefinível pela absoluta distância que vai de nosso olho a ele: "u-

---

1. Como aqui a análise se restringe aos dois primeiros capítulos de *Senhora* – pp. 182-188 – creio ser desnecessário indicar a página de cada uma das citações.

ma nova estrela". A fórmula é incisiva porque condensa em poucas palavras os elementos básicos da narrativa: tempo, espaço, personagem, narrador. Dele não se escuta mais a voz cálida que testemunha. Chega-nos, da fria distância estelar, uma voz que, não sabemos de onde, profere sua frase. O espaço que se estende entre nós e o objeto que olhamos é imensurável. Esse, o ponto de partida de nossa estória a distância cósmica.

Figura-se a personagem como "estrela": entidade longínqua e fria, já que no uso cotidiano da língua, a idéia de calor liga-se, geralmente, ao sol, tido como "astro". Os corpos celestes noturnos, "estrelas", deixam-se contaminar pela frieza da noite, que é seu cenário.

O segundo parágrafo, partindo da distância absoluta, esboça uma primeira aproximação: "Desde o momento de sua ascensão ninguém lhe disputou o cetro; foi proclamada a rainha dos salões". O domínio ainda é sideral: o momento de ascensão da estrela. O narrador ainda se oculta. Entretanto, a que era estrela desce à terra, empunha um cetro e se torna rainha. Fica não só um pouco menos distante mas também menos indeterminada. "Estrela" é palavra que se liga apenas indiretamente a uma noção de feminino; em "rainha" essa ligação é obrigatória. O céu, por seu turno, se transmuda em salão. Metáfora do espaço social, o "céu fluminense", transformando-se em salão, ganha contornos mais concretos, limites mais definíveis. A estrela feita rainha já não está mais só, como na lonjura etérea. Sua companhia porém ainda não é nem determinada nem individualizada; não tem sequer, num primeiro momento, caráter positivo: é "ninguém". No momento seguinte, encontramos a mesma entidade, agora em caráter positivo. Pois "foi proclamada a rainha dos salões" é oração de sujeito passivo, cujo agente, embora não expresso, pode ser indicado pelo pronome indefinido oposto: todos.

Outra mudança operada na passagem do primeiro para o segundo parágrafo: o sujeito agente "estrela" brilhava solitário graças à intransitividade do verbo "raiou". Agora passa de sujeito ativo a objeto: "... ninguém *lhe* disputou *o cetro*" ou o sujeito passivo, como vimos. O efeito da descida à terra é, pois, a interação com um mundo organizado pela ação de todos/ninguém – o anônimo a quem cabe proclamar a realeza e dar-lhe sustentação.

O parágrafo seguinte, também curto, relata outras metamorfoses da estrela-rainha: "Tornou-se a deusa dos bailes; a musa dos poetas e o ídolo dos noivos em disponibilidade". A gradação descendente da seqüência deusa-musa-ídolo reitera o movimento de descida à terra, de paulatina concretização, além de remeter já à relação que se estabelecerá entre a estátua-ídolo e os adoradores do bezerro de ouro: a ad-miração.

O parágrafo quarto é o mais curto de todos. Uma única oração de quatro palavras reduzidas, na verdade, a duas, dado o caráter conectivo das demais; aquela entidade distante que pouco a pouco se aproxima, toma forma e encarna, revela finalmente seus dois principais atributos: "Era rica e formosa".

Assim, cada um dos quatro primeiros parágrafos apresenta um acréscimo substantivo aos anteriores, de modo que temos na seqüência: aparição da estrela, sua descida à terra, suas várias metamorfoses, seus atributos. O quinto parágrafo difere dos demais por sua função adjetiva. Explica figuradamente os dois últimos atributos da estrela. Para isso se criam duas comparações expressas em frases de simetria sintática, morfológica e rítmica: "Duas opulências, que se realçam como a flor em vaso de alabastro; dois esplendores que se refletem, como o raio de sol no prisma do diamante".

O trecho indica que, se na linha seqüencial do sintagma esses atributos aparecem isolados entre si, meramente justapostos, a palavra metaforizada é capaz de recuperar o concreto mostrando um sistema dinâmico de contrastes e reverberações em que a aparência final é produto de um processo de espelhamento recíproco: a luz do sol incide sobre o diamante que lhe devolve o brilho num circuito auto-alimentado. O quinto parágrafo, de natureza adjetiva, não vem como seria de esperar, colado a seu elemento subordinante que é o parágrafo quarto. A cisão faz com que a pequena frase – "era rica e formosa" –, isolada das demais, solitária portadora da aparência do ser que ainda mal conhecemos, brilhe diante dos nossos olhos como a nos dizer que o que primeiro nos chega às vistas é a exterioridade.

Até aqui descrevemos o momento inicial do capítulo cujo foco de narração é distante como a estrela. Não sabemos de onde vem a voz que nos fala. Sabemos apenas que, nesse primeiro momento, ela usa o tom grandiloqüente das grandes aberturas: parágrafos curtos e concisos, recurso à linguagem metafórica, como modo básico de expressão, grande indeterminação dos elementos arrolados, apresentação de uma situação totalmente fora do cotidianeidade – o céu, a estrela, a rainha, deusa, musa, ídolo etc...

O sexto parágrafo inaugura um novo momento. Continuando o processo paulatino de aproximação e desvendamento, entramos no ritmo da vida terrestre; e então o narrador dá o nome: "Quem não se recorda da Aurélia Camargo, que atravessou o firmamento da Corte como brilhante meteoro, e apagou-se de repente no meio do deslumbramento que produzira o seu fulgor?" E assim se completa o processo de concretização-encarnação. Estrela-rainha-deusa-musa-ídolo-mulher: Aurélia Camargo. Para o momento, o máximo de concretude possível é o nome próprio. O foco narrativo coloca-se num ponto finalmente localizável: "Quem não se recorda...?"; mais adiante: "Não a conheciam..."; ou ainda: "Constava também que Aurélia...". Manifesta-se o ponto de vista da opinião pública, o anônimo nosso conhecido. O deslocamento do foco narrativo para o público, que povoa o primeiro capítulo, será recurso constante durante a narrativa. Pois uma das personagens importantes desta representação é, justamente, todo mundo e ninguém, a opinião pública-platéia.

Trabalhando em linguagem figurada, o parágrafo nos dá uma antevisão da trajetória da mulher desde o princípio até o fim do relato. O campo de comparações é o mesmo da abertura: o céu e a estrela. A metáfora aqui realça o caráter transitório da relação entre ambos. A estrela se torna meteoro. Para ela o céu – que traduzimos já como a Corte, o mundo dos salões, o espaço da opinião pública – é lugar de passagem, não de estadia. Mais que estrela, meteoro. A extensão da narrativa flagrará o astro em travessia: seu aparecimento, na primeira linha do romance, seu desaparecimento, no final do livro. Como o sol nascendo no firmamento e criando o mundo e seus contrastes, seu corpo luminoso, que surge na primeira frase, faz aparecer a narrativa. Da mesma forma, seu repentino desaparecimento no horizonte, atrás das cortinas cerradas, instaura o escuro total, o buraco negro, o fim do livro.

O espaço da opinião pública não é lugar de estadia mas de passagem e exibição. As pessoas que vão aos teatros, bailes, lojas e hotéis entram no circuito luminoso do ver e ser visto. Findo o ritual, voltam para o espaço privado que é sombrio lugar de repouso. Aurélia não pretende passar pelo espaço iluminado senão uma só vez: apenas para raptar o amado. Na esteira da oposição entre público e privado, o trabalho imagético jogará com os contrastes de luz e sombra, já que se trata de uma concepção ficcional que muito deve à arte pictórica. Dada a importância da visualidade no processo de mimese do real pela palavra, a pena trabalha como o pincel sobre a tela. Um olhar de relance nos parágrafos analisados o demonstra. Fala-se de um corpo celeste luminoso; do circuito formado pela refração da luz sobre o diamante; da mulher que, iluminada, é satânica e, na penumbra, se torna anjo de candura. Um de seus atributos freqüentes, o deslumbramento, é noção ambígua. Indica uma luminosidade tão-forte que impede o entendimento. De modo que a luz, cuja função é revelar o mundo, pode também ocultá-lo quando excessiva. Insisto na palavra porque é importante no romance a idéia de que o mesmo foco de luz – e, paralelamente, o mesmo foco narrativo – pode fazer ver ou cegar. Nas aparições de Aurélia dá-se o deslumbramento: os olhares são atraídos para o clarão da mulher mas ficam impedidos de atravessar-lhe o brilho corpóreo.

E, realmente, como compreender uma criatura compósita, misto de estrela, rainha, deusa, ídolo e mulher? Quem será ela, afinal? Veio de céu, donde porém também proveio Satã, o anjo decaído. Da estrela que cai até encarnar na sedutora Aurélia Camargo não há, então, a rota de queda do anjo? Naturalmente, seu lado atraente é o esquerdo: "foi o fulgor satânico da beleza dessa mulher, a sua maior sedução." E essa faceta demoníaca nada mais é que a corporeidade de mulher e de ídolo, formosura e riqueza. A deusa mulher toma corpo: é bela; o deus dinheiro toma corpo: é ouro. Mas ambos são também demônios, pois não se trata do bem ou do mal isoladamente. Trata-se, no dizer de Aurélia, do perigo – a sedução.

O sexto parágrafo inicia um segundo momento no capítulo. O tom grandiloqüente do momento anterior se modifica. Também ele, descendo à terra, toma a forma do chão diz-que-diz de roda pública. Começa por uma fórmula interrogativa que reaparecerá outras vezes: "quem não se recorda da Aurélia Camargo...". Até o final do capítulo será esse o tom dominante, porque agora vem para frente da cena a segunda grande personagem da estória: o público, que passa a contracenar com Aurélia Camargo. Revela-se o que cada um sabe, pensa e diz do outro. Sua relação é desarmônica: o público não compreende as excentricidades da moça; ela o despreza.

O falatório anônimo toma forma não só nas frases interrogativas alusivas à situação dialógica. Também na anteposição do artigo ao nome próprio — fato que, via de regra, revela a presença do ponto de vista público. Nessa esfera, as pessoas se conhecem por nome e sobrenome, aos quais se antepõe o artigo definido : a Aurélia Camargo, a Lísia Soares, o Alfredo Moreira. Assim, quando abandona esse ponto de vista, o narrador volta a tratar sua heroína de outro modo: "Aurélia era órfã..." O sobrenome é o que, no espaço público, define a pertinência do indivíduo atomizado ao grupo familiar, operando a articulação entre público e privado.

Outra marca do tom de conversa de roda é o verbo "recordar". Ainda hoje as interrogações do tipo: "lembra-se de fulano?..." são fórmulas de início de diálogo, após as quais se inserem frases propriamente informativas. Entretanto, para além da função fática dessas fórmulas compostas por "recordar" e seus sinônimos, há que considerar a questão da fonte da narrativa.

Mnemosyne, a memória, é a entidade mitológica que preside o trabalho do poeta, inspirando-o. Na interpretação platônica, aprender e recordar se equivalem. O trabalho filosófico consistiria em tornar manifesto, pela rememoração, o conhecimento que a alma adquire, antes de reencarnar, na contemplação direta das Idéias[2]. Do mesmo modo, a fórmula "quem não se recorda", no início de um parágrafo que cifra o começo e o fim da narrativa, indica-nos a própria natureza do ato de narrar: resgatar do esquecimento, fazer nascer para o mundo algo em estado de latência. Junto ao processo de encarnação da mulher, a encarnação da palavra: o momento

---

2. Cf. ELIADE, M. *Mito y Realidad*. 2. ed., Madrid, Guadarrama, 1973, p. 141.

de nascimento da ficção graças à atividade da memória. O curioso é que o narrador, que logo adiante aparece como uma pessoa, dá-nos a indicação de que a fonte da rememoração é o próprio público, cabendo a ele apenas repetir ou não o diz-que-diz. A explicação é que a memória pública dá conta, apenas, da trajetória meteórica de Aurélia pelo espaço social. A distância que vai da aparência – única visão possível ao público – à essência, quer ser vencida; é preciso um narrador que se reserve a onisciência e o direito de levantar véus, um narrador que se proponha a adentrar o "drama íntimo". O ponto de vista da opinião pública é distante e fixo. Por isso está condenado a cristalizar o real na sua aparência invertida. Essa é a razão por que o narrador chama a atenção para os "comentos malévolos" com que os noveleiros costumam "vestir" a verdade.

Nessa frase: "pois a seu tempo saberemos a verdade, sem os comentos malévolos de que usam vesti-la os noveleiros", há algumas informações importantes. Em primeiro lugar, o sentido de "vestir" é ocultar. Assim, o falatório dos noveleiros redundaria em esconder a verdade. Entretanto estamos ainda na esfera pública. Adiante teremos oportunidade de ver que o revestimento e todas as suas idéias congêneres – as vestes da mulher, a expressão do rosto etc... – só funcionam quando ocultam a meio e meio-revelam. Este será o mecanismo de movimentação de toda a narrativa. Daí haver certa ironia em chamar "noveleiros" a esses ocultadores da verdade. Afinal, nosso novelista é também noveleiro; fará algo semelhante, só que com muito mais requinte. Desfrutará do dom da ubiqüidade e, assim, se deslocará constantemente. Por exemplo, do primeiro para o segundo capítulo, sairá da esfera pública do diz-que-diz para atingir a esfera privada do drama íntimo. E é graças a essa capacidade de movimentação em torno do objeto que o novelista consegue ir semi-revelando no mesmo passo em que semi-oculta.

Outra informação valiosa naquela frase: a verdade tem "seu tempo", que é um futuro – "saberemos". A frase funciona, dentro do mecanismo de ocultação e desvelamento, como sugestão de que há algo desconhecido projetado para frente, em cujo encalço saímos nós, junto com o narrador. A frase é usada, aliás, como isca. Se queremos a verdade, é preciso correr atrás da narrativa. Há uma instigante primeira pessoa do plural: "saberemos". Aparece num contexto em que inicialmente se mostra o ponto de vista do público – "dizia-se muita coisa..."; em seguida, surge uma voz na primeira pessoa do singular – "... que não repetirei agora..." – recusando aquele ponto de vista porque sabe que nele não se encontra a verdade. Essa primeira pessoa do singular, voz que vem de fora, é onisciente mas usa o artifício da pessoalidade do "eu" como forma de se esquivar da onisciência clara e cabal. Começam as trapaças do novelista... noveleiro.

Usando o plural "saberemos", o narrador – que criara já duas personagens, a mulher e o público – cria um terceiro: o leitor. "Saberemos" é a ponte lançada entre nós e a narrativa; um convite para que acompanhemos sua trajetória. Criando-se a cumplicidade, o narrador reserva-nos também o dom da mobilidade em torno do objeto. O que nos privilegia em relação ao ponto de vista fixo da opinião pública. Nossa aproximação do objeto não é, entretanto, linear. Faz-se, por assim dizer, de dois passos à frente e um para trás. Vejamos um exemplo disso.

Após alguns parágrafos em que, como voz onisciente, nos fornece informações sobre Aurélia e sobre o que dela se sabia em sociedade, o narrador se transforma. Passa a falar como se só alcançasse a exterioridade. Referindo-se aos pretendentes que vinham fazer a corte à moça, diz-nos que ela "com sagacidade admirável em sua idade, avaliou da situação difícil em que se achava, e dos perigos que ameaçavam". Quem assim fala conhece com minúcias o caráter da heroína: sua sagacidade, a capacidade de previdência e planejamento. Entretanto lemos em seguida: "daí provinha talvez a expressão cheia de desdém e um certo ar provocador, que erriçavam a sua beleza aliás tão correta e cinzelada para a meiga e serena expansão d'alma". As palavras "talvez" e "certo" fazem do que seria uma verdade proferida pelo demiurgo, uma possibilidade sugerida por alguém capaz de captar o objeto somente por seu lado exterior. Assim, pela tática de sugestão, a narrativa caminha dois passos à frente, um para trás.

Os seis parágrafos em que o narrador se traveste de não-onisciente apelam para a sugestão através, sobretudo, de sua estrutura sintática. Além de períodos compostos pela união de frases negativas a frases condicionais, caso também do parágrafo: "Os olhos grandes e rasgados, Deus não os aveludaria (...) se os destinasse..."; há ainda a articulação de frase interrogativa a outra, condicional: "Para que a perfeição estatuária do talhe de sílfide, se em vez de arfar.."; ou então o recurso ao verbo "parecer" e correlatos: "...Aurélia bem longe de inebriar-se (...) ao contrário parecia unicamente possuída de indignação".

A relação da heroína com a sociedade aparece, desde o primeiro momento, como de aberta hostilidade. Ela se reconhece em difícil situação, obrigada a viver o mundo público sem a contrapartida do espaço privado autêntico, o refúgio da família. Faltando-lhe este, isolase: devaneia encerrada na própria interioridade. Solidão e liberdade estão na base do gesto demoníaco pelo qual ela, desafiadoramente, despreza o mundo onde julga impossível viver. A dinâmica feita de movimentos opostos de atração e repulsa faz com que seja justamente o demonismo – que a faz excêntrica e a afasta dos demais – o que a torna atraente aos olhos da multidão:

E o mundo é assim feito; que foi o fulgar satânico da beleza dessa mulher, a sua maior sedução. Na acerba veemência da alma revolta, pressentiam-se abismos de paixão; e entrevia-se que procelas de volúpia havia de ter o amor da virgem bacante.

Levantam-se diante de nós alguns veús. Mas só entrevemos e pressentimos: abismos de paixão, procelas de volúpia. A sugestão é meio de sedução. Há magnetismo na mulher cuja paixão se supõe em vias de resvalar para o abismo. O que seduz é sempre o risco; nem o bem nem o mal, somente o perigo.

Da parte do narrador, não são a sugestão e os silêncios as únicas táticas de atração. Enfileirando argumentos para mostrar o contraste entre divindade e satanismo em Aurélia, ele usa ainda o artifício de construir um pensamento que visa, no plano aparente, a convencer. Mas que acaba servindo como meio de desnudar a beleza da mulher:

Como acreditar que a natureza houvesse traçado as linhas tão puras e límpidas daquele perfil para quebrar-lhes a harmonia com o riso de uma pungente ironia? / Os olhos grandes e rasgados, Deus não os aveludaria com a mais inefável ternura, se os destinasse para vibrar chispas de escárnio./ Para que a perfeição estatuária do talhe de sílfide, se em vez de arfar ao suave influxo do amor, ele devia ser agitado pelos assomos do desprezo?

Enumeram-se as dissonâncias de que é feita a mulher: o perfil de linhas puras quebrado pelo riso irônico; a perfeição do talhe, pelos assomos do desprezo; os olhos aveludados, pelas chispas de escárnio. Seu elemento comum é a expressão de perplexidade diante da dissonância que torna a heroína estranha e enigmática. O ser híbrido, misto de corpo cósmico, divindade e mulher, é também ambíguo. Nele, a aparência funciona ao mesmo tempo para ocultar e revelar, aprisionar e liberar o que lhe fica por detrás. O elemento interior demoníaco contrastante é o que dinamiza a figura da estátua imóvel: o riso irônico *quebra* a pureza do perfil; o escárnio *passa através* de olhos aveludados; o desprezo *agita* a estátua perfeita.

Contraste e confronto entre bem e mal, entre o celeste e o terreno, entre sublime e grotesco – a polaridade cara aos românticos e, sobretudo, a Victor Hugo[3] – aquela enumeração antecipa e concentra os traços físicos principais através dos quais a mulher tomará corpo e se nos dará a conhecer: o perfil, a boca, os olhos, o talhe de estátua. A noção de "perfil" está no subtítulo não só deste mas também dos dois primeiros romances da trilogia. É esboço; é visão parcial de um objeto do qual se capta apenas um dos lados. Sugere-se o caráter necessariamente lacunar da percepção que obteremos da mulher. Boca e olhos serão os traços marcantes de sua fisionomia. A boca, sede da palavra que pode ser terna ou ferina; os olhos, meio de ocultar e desnudar a interioridade, e de dominar. Ambos funcionam, como já foi dito, como instrumentos de sedução.

Em *Senhora*, como em *Lucíola* e *Diva*, a ascensão da mulher ao palco iluminado onde exibe beleza e ouro é processo de prostituição, mesmo quando não consumada. Para Alencar, a prostituição não se limita à entrega do corpo no ato sexual ilícito. Começa desde o mo-

---

3. Cf. HUGO, V. *Do Grotesco e do Sublime*; 2. ed., São Paulo, Perspectiva, 1988.

mento em que, mesmo inocentemente, a mulher se compraz com a visão de sua imagem produzida pelo espelho. É esse o primeiro passo da ingênua Carolina, de *As Asas de um Anjo*, no rumo da perdição: frente ao espelho, ela cobiça sua imagem enfeitada de laços azuis[4]. Em *Senhora* o exibicionismo toma outros contornos, mas comporta também a metáfora da imagem produzida pelo espelho. Na base desse namoro narcísico está o processo de aparição da imagem sedutora que se dá em espetáculo, antes de mais nada, ao próprio olhar; depois ao olhar do outro. A prostituição da mulher começa, assim, por um ato de exibicionismo.

O tema da prostituição assume em Alencar uma dimensão ambígua além de tomar formas variadas. Se em *Lucíola* aparece como venda do corpo da mulher, em *Senhora* assume conotação dupla. Quem se vende neste caso é o homem. O desnudamento da prostituição masculina aponta para a natureza prostituída da sociedade de mercado. Entretanto, se quem se vende é o homem, não é somente ele que se exibe mas também a mulher. É como se tivesse havido ampliação e generalização: numa sociedade prostituída não há como escapar do processo geral de prostituição.

Enquanto psicologia individual feminina, entretanto, o ato de exibicionismo não se vincula só à prostituição. É o gesto básico de objetivação do ego da mulher, a tomada de consciência de si enquanto corporeidade una através da percepção da própria imagem refletida. Lacan fala em "fase do espelho" indicando o momento em que, na criança, se constitui o esboço do ego[5]. Mirando-se no espelho, Carolina dá seu primeiro passo em direção à prostituição. Por uma atitude semelhante, Aurélia toma consciência de si: o momento em que, pobre, se põe à janela e vê, refletida nos olhares ardentes dos cortejadores, a imagem de seu corpo como realidade objetivada. Assim, o processo de prostituição da mulher alencariana caminha junto com o de tomada de consciência de si enquanto ego, como parte que se destaca

---

4. Cf. *Teatro Completo*, v. 2, p. 177.

5. Cf. LACAN, J. "Le stade du miroir comme formateur de la fonction du Je dans l'expérience psychanalytique". In: *Écrits*, Paris, Seuil, 1966, pp. 93-100.

da família, tornando-se indivíduo livre. Não é casual que o tipo feminino oposto que aparece no romance urbano é o da mulher — mãe, irmã ou filha — cujo emblema é a abnegação: a negação de si mesma que faz dela um ser sem vontade própria, apêndice do homem a quem se subordina.

Não é casual também que todas as mulheres voluntariosas são aquelas que ou perderam a tutela da família — Lúcia e Aurélia — ou tiveram o férreo poder tutelar abrandado por um pai bondoso ou pouco enérgico — como Guida, de *Sonhos d'Ouro;* Emília, de *Diva;* Amélia, de *A Pata da Gazela*. Lidos de um ponto de vista estritamente didático-moralizante, esses romances mostram os malefícios advindos, para a mulher, de sua libertação da família quando se torna indivíduo dotado de consciência e vontade própria. Essa leitura tornaria tais romances aceitáveis do ponto de vista moral. No entanto a ambigüidade do texto deixa entrever, por baixo do discurso moralizador, aquele que diz que, somente como indivíduo consciente de seus encantos, a mulher pode fazer de sua beleza um espetáculo, tirando partido dela para seus próprios desígnios. A beleza é, enfim, coisa deste mundo. Só se revela se, exposta à luz, se torna agradável para olhos desejosos. Da mesma forma, a arte, que faz da ostentação do belo o seu objetivo, é coisa deste mundo, artimanha do demônio, artifício.

A hostilidade de Aurélia, com relação a seu ambiente, se manifesta também num traço de sua personalidade fundamental para a economia da narrativa, que começará no capítulo II. A referência começa na frase: "Um traço basta para desenhá-la sob esta face". Daí até o antepenúltimo parágrafo do capítulo, somos informados do sentimento que a moça nutre pelo mundo regido pelo dinheiro, agora através do modo desdenhoso como ela trata o agrupamento humano destacado da massa pública com o rótulo de "noivos em disponibilidade". A equiparação de cada um dos adoradores que a cercam a uma dada quantia em ouro, a referência irônica do narrador às flutuações da cotação de cada um deles em função da momentânea simpatia ou antipatia da moça, isso corresponde ao desnudamento dos mecanismos que regem o mundo das coisas e dos homens tornados coisas. O processo de desnudamento não é, portanto, unilateral. O público busca a desnudar Aurélia, bisbilhotando sua vida ou olhando seu corpo. Aurélia busca desnudar a sociedade olhando criticamente o corpo em que ela, por excelência, se cristaliza: o dinheiro. Uma fala de Aurélia ilustra a ironia que tingirá sua palavra ao longo do relato:

> É um moço muito distinto (...) vale bem como noivo cem contos de réis; mas eu tenho dinheiro para pagar um marido de maior preço (...) não me contento com esse.

Nos dois parágrafos finais, o narrador esclarece a natureza do relato. Novamente assume a primeira pessoa do singular para negar o ponto de vista da opinião pública: "Não acompanharei Aurélia em sua efêmera passagem pelos salões da Corte". A idéia de efêmera passagem retoma e reforça a figura da travessia meteórica. Após ter denunciado a distância e fixidez do olhar anônimo, o narrador denuncia agora o caráter de efemeridade que tomam os objetos vistos por ele. Ávido pela novidade do dia, o público não atinge o real em profundidade; sua retina capta-o somente enquanto impressão fugaz. Para esse tipo de leitor é feito o jornal – mensageiro das efemérides. Alencar, jornalista e comentarista profissional das novidades do dia, conhece bem a natureza superficial do olhar que consome as "toalhas de papel com que a civilização enxuga a cara ao público todas as manhãs"[6].

Dada a impossibilidade de flagrar a singularidade no espaço público, o capítulo se fecha com a proposta de "referir o drama íntimo". E assim se completa sua trajetória: de um máximo de distância – a estrela no céu – a um máximo de proximidade – a mulher na intimidade.

Considerando como "drama" os acontecimentos íntimos da vida da heroína, o narrador antecipa o enfoque teatral dado a eles. O relato, como vimos, será drama assim como as personagens serão atores. O capítulo I não introduz nenhuma ação do enredo narrativo, limitando-se a apresentar a atriz e ambientá-la no cenário. Por sua frouxa ligação à cadeia de acontecimentos, as referências temporais, expressas principalmente por pretéritos imperfeitos, são vagas – "dizia-se muita coisa", ou "constava também que", ou ainda "uma noite,

---

6. *Senhora*, p. 197.

no cassino" etc... Mais descritivo do que narrativo, o capítulo funciona, na ótica do relato teatral, enquanto peça introdutória executada antes da representação: uma *ouverture* operística.

O segundo capítulo, como o primeiro, se divide em dois momentos. O primeiro momento, que termina no oitavo parágrafo, focaliza a sala da casa da moça que está só e ensimesmada. No segundo, o isolamento será quebrado pela entrada de D. Firmina Mascarenhas.

O capítulo anterior, apesar de basicamente descritivo, apontava em seu final para o dramático que lhe seguiria. O começo do segundo capítulo dá indicações da mudança de registro: estamos em pleno drama. O tempo verbal que descreve o espaço e a mulher, agora, é o presente do indicativo. Uma forma de fazer-nos partícipes, com o narrador e a heroína, de uma mesma cronologia: "Um sol ardente de março *esbate*-se nas venezianas que vestem a sacada"; "A luz coada pelas verdes empanadas *debuxa* com a suavidade do nimbo (...) o aveludado escarlate do papel que *forra* o gabinete"; "a moça *parece* imersa em intensa cogitação. O recolho *apaga*-lhe no semblante"; "Mas a serenidade que se *derrama*" etc[7].

Outra mudança: a temporalidade vaga do capítulo anterior dá lugar a uma cronologia mais definida em função do encadeamento de ações do enredo: "Seriam nove horas do dia". Nossa entrada no mundo da privacidade de Aurélia é algo brusca: após vê-la no meio da multidão, passamos a espiá-la na mais absoluta intimidade. É o seguimento da proposta de "referir o drama íntimo". O primeiro momento do capítulo descreve a mulher, agora em situação diametralmente oposta ao primeiro capítulo: solitária e no ambiente doméstico, tratado como local de repouso e refúgio. Por isso, sua descrição serve de reforço do estado anímico; o gabinete propicia-lhe a introspecção[8]. Vejamos como caminha o olho que acompanha o movimento descritivo.

---

7. Grifo nosso.

8. No folhetim de 22 de novembro de 1855, Alencar discorre sobre as diferenças existentes entre o salão ("terreno neutro entre a câmara e o gabinete"), o gabinete (lugar reservado aos íntimos, "aqueles que estão

Parte-se da observação da casa pelo lado exterior. O local focado é a sacada cujas venezianas estão fechadas. Como estamos no domínio do dramático, observe-se que a luz do sol — tido como olho cósmico — ilumina a sacada, mas as venezianas-cortinas vedam-lhe o acesso ao palco. Com força de "sol ardente de março", consegue no entanto atravessar as venezianas e as empanadas para, pelo lado de dentro, compor uma ambiência crepuscular. O raio do olho cósmico, incidindo sobre a janela fechada, fixa-se na contemplação da exterioridade da casa. Ao contrário, ao olho do leitor se permite a mobilidade pela qual passa da luz ardente para a penumbra, onde flagra o aconchego. Pelo lado de dentro, a forte luz solar sofre refrações: venezianas e empanadas. As venezianas, aliás, "vestem as sacadas", fato que recupera o tema do revestimento como ocultação e máscara. As sacadas são vestidas pelas venezianas da mesma forma como, anteriormente, a verdade era vestida de comentos malévolos pelos noveleiros. Num e noutro caso, o vestir só adquire sentido como preâmbulo do despir. Enquanto os noveleiros vestem, nosso novelista despe. Só que sob estritas normas. Affonso Romano de Sant'Anna lembra que o discurso filosófico e estético ocidental se faz nessa direção: "a verdade é uma mulher atrás de um véu, e cabe ao pensador viril despir, possuir ou violentar esse ser desejável e desejante com seu 'logos spermaticos' "[9]. No nosso caso, não haverá violência direta no espetáculo de desnudamento e posse. Ao contrário, tudo será indireto, discreto, dissimulado. Não é casual que, ao nos convidar a espiar a câmara nupcial no último capítulo da primeira parte, o narrador lembre a indiscrição do gesto.

Voltemos ao lugar onde Aurélia, entregue a si, cogita. Se, pelo lado de fora, tínhamos visto "uma sala, nas Laranjeiras", o olhar que bisbilhota o lado de dentro descobre que a sala é — em verdade — um gabinete.

---

no segredo do dono da casa") e a câmara ("onde ordinariamente têm lugar os arrufos e as zanguinhas do marido com a mulher"). O autor estabelece uma confusão proposital entre os ambiente do espaço doméstico e seus correlatos no espaço político. O que mostra que então — como talvez até hoje — a coisa pública é tratada como domínio privado de grupos fechados. Cf. *Ao Correr da Pena*, p. 165.

9. *O Canibalismo Amoroso*, p. 14.

Na organização geral do espaço doméstico, o gabinete é lugar restrito aos íntimos, mais reservado do que a sala, onde ficam as visitas. Quando a luz do sol penetra, por mediações, a interioridade do gabinete, é já crepúsculo, e então desenha com suavidade o busto da moça. De modo que o revestimento oculta mas também protege a interioridade contra a devassidão da luz direta.

O gabinete é quente e acolhedor nesse instante de intimidade. Não só porque há panos por toda parte: estofando as venezianas; cobrindo a fria nudez da parede acolchoada de papel aveludado. Também porque as cores se vinculam à idéia de calor. O verde das empanadas reaparecerá no roupão com que Aurélia receberá o marido na câmara nupcial. O escarlate do papel da parede lembra o fogo de Marte, deus da guerra e também do amor carnal. Notemos, porém, que esse primeiro momento do capítulo ressalta somente o lado cálido dos objetos e cores. O segundo momento introduzirá a dissonância, pela oposição.

Por enquanto, a poética espacial refaz a interioridade anímica habitada pela mulher. O gabinete é tão acolhedor para o corpo quanto o é, para a alma, a interioridade do eu. A fuga para dentro faz-nos ver uma Aurélia distinta da que se mostrara em público. Os olhos que vibravam chispas, estão "a vagar". Recostada numa cadeira, ela repousa. Na solidão e na ausência de luz direta, ela já não "reverbera". Na penumbra, o anjo de candura substitui a estátua gélida cujas agudas cintilações compõem tanto sua beleza quanto seu satanismo. Retomam-se os traços fisionômicos apontados no capítulo anterior, só que em circunstâncias opostas. Os olhos não reverberam, nos lábios "em vez do caústico sorriso, borbulha agora a flor d'alma a rever os íntimos enlevos".

Do quarto ao sétimo parágrafo, mascarando sua onisciência, o narrador mostra a heroína apenas pelo exterior: "a moça parece imersa em intensa cogitação". E o oitavo parágrafo, que encerra o primeiro movimento do capítulo, retoma o ponto de vista anônimo dizendo que "ninguém ao ver essa gentil menina, na aparência tão calma e tranqüila, acreditaria que nesse momento ela agita e resolve o problema de sua existência; e prepara-se para sacrificar irremediavelmente todo o seu futuro". Não nos é dito direta e claramente que Aurélia mentaliza o plano de compra do marido. É como se a palavra-raio, sofrendo refrações através das técnicas de sugestão, compusesse ante nossos olhos um objeto envolto em véus e sombras. O procedimento é, aliás, da mesma natureza daquele em que o narrador se referia a "alguma profunda decepção", sem outros esclarecimentos. Aqui, entretanto, algo mudou. Pois, o primeiro capítulo mostrava o mundo público, não sendo de estranhar a presença maciça do ponto de vista da turba. Agora, ao contrário, estamos nós e o narrador espiando a meditação solitária da mulher. Por que de novo se recorre ao anônimo "ninguém"?

A reflexão sobre o estatuto do leitor nos "perfis de mulher" mostra que, do ponto de vista da intimidade absoluta, qualquer confidência deixa entrever o desejo da inconfidência — seja a do par amoroso encerrado em seu idílio, seja a do eu fechado em sua interioridade. A estória que Paulo contava a G.M. como confissão pessoal mal disfarçava a ânsia de ser publicada. Em *Senhora*, há o olho fixo da opinião pública e o do leitor, a quem caberá o privilégio da mobilidade. Apesar disso, o leitor também faz parte da massa anônima. Seu olhar, ávido de efemérides, é em princípio só capaz de ver o real invertido. Sublinhando a semelhança, o narrador lança ao mesmo tempo a piscadela convidativa: quer nos ensinar a ler de outro modo. Doravante poderemos ver mais que o público; algumas vezes, mais do que Seixas; outras, tanto quanto ele. Mas, sendo tortuosa a estrada do ver, haverá ainda momentos de engano e cegueira.

O nono parágrafo inicia o segundo momento do capítulo. Em repouso no momento anterior, Aurélia se encontrava num ponto máximo de proximidade em relação à própria interioridade; e, vice-versa, num ponto máximo de afastamento do olhar público figurado, aqui, pelo olho solar impedido de incidir diretamente sobre ela. O que desencadeia a mudança é a entrada de D. Firmina Mascarenhas assim referida:

> Alguém que entrava no gabinete veio arrancar a formosa pensativa à sua longa meditação. Era D. Firmina Mascarenhas, a senhora que exercia junto de Aurélia o ofício de guarda-moça.

A personagem é mostrada de modo enviesado. Antes de aparecer com o nome próprio, ela é "alguém que entrava". O pronome indefinido marca a pertinência da velha parenta à esfera pública; seu olho servirá de modelo do processo de captação invertida do real dentro da esfera privada da casa de Aurélia. Sua presença como mãe de ofício, realçando por contraste a ausência da mãe verdadeira, ao mesmo tempo vela e revela a solidão da heroína. Sempre que aparece, Firmina é acompanhada de um tom de ironia branda, se comparada àquela que marcará as referências à personagem que lhe é paralela, o tutor Lemos. A mãe postiça merece ao menos o respeito por agir dentro do esperado para sua idade e posição. Além de exercer "junto de Aurélia o ofício de guarda-moça", Firmina expressa na conversa com ela uma "afetada ternura que exigia o seu cargo" e está sempre pronta a vigiar no semblante de Aurélia "o efeito de suas palavras" para "desdizer-se de qualquer observação, ao menor indício de contrariedade". "Ofício" e "cargo" apontam para sentimentos e relações que se fingem de verdadeiros e pessoais. Para Firmina, ser mãe de Aurélia é um emprego. Como o é, para Lemos, ser tutor. E nisso ambos prefiguram o arranjo pelo qual se contratará o último empregado-membro que falta à família fingida: o marido.

Insisto no caráter postiço das relações familiares de Aurélia por dois motivos. Primeiro, porque a falta da família verdadeira enquanto refúgio autêntico, pode explicar sua tendência à introversão. E assim veremos Aurélia várias vezes. Em segundo lugar, porque o tema da representação teatral estruturando a narrativa se manifesta na forma da família de representação. Nesse mundo, todo gesto – palavra ou silêncio – não brota senão de um cálculo prévio sendo sempre meio de atingir um objetivo, no mais das vezes inconfessável.

Na vida vivida como comédia, a palavra encobre a realidade nua e crua do interesse. A fala social é pudica porque observa normas estritas de acobertamento. Aí também se encontra um motivo de hostilidade de Aurélia com relação àquele mundo: ela despe o que ele veste. "Tenho dinheiro para pagar um marido de maior preço", ela despe. Mas essas palavras são consideradas como "gracinhas de moça espirituosa". E assim, segundo as conveniências, a realidade fica novamente vestida.

O segundo momento do capítulo desenvolve um ato de representação teatral manifesto. Ele será paulatinamente preparado, indo num crescendo até atingir sua culminância. É possível observá-lo através das sucessivas fases do comportamento de Aurélia. Deixamo-la absorta em sua meditação, interrompida de modo brusco pela entrada da parenta. E a interrupção é tanto mais brusca quanto mais ausente se encontrava ela: "só nessa ocasião acordou da profunda distração em que estava absorta". Há diferenças entre o mundo da interioridade e o da exterioridade, para o qual é chamada subitamente. Aquele é o do devaneio e sonho; assim, a volta à realidade exterior é um "acordar". É o antônimo da liberdade interior, por isso sua "surpresa" ao acordar. Alheada da exterioridade, seus olhos *vagam* pelo quarto. O retorno impõe a metamorfose dos olhos: ela, então, *corre* a vista pelo aposento. Impõe também que ela consulte o referencial cronológico do tempo exterior: o relógio. É significativo que este esteja preso "à cintura por uma cadeia de ouro fosco". Sabemos já que Aurélia hostiliza o ouro que, em sociedade, mascara sua pessoa. É pois a realidade exterior, que faz dela o simulacro do metal cobiçado, que a mantém cativa.

Inicia-se então, entre D. Firmina e Aurélia, um diálogo que para a velha senhora destina-se apenas a preencher o vazio do tempo que falta para a hora do almoço. Na primeira fala é a viúva quem está mais empenhada na conversa. Aurélia, ainda um pouco ausente, deixa que a outra tagarele, sem compreender muito bem o que diz. Há então um primeiro momento de iluminação. De repente, ela toma a dianteira e faz uma pergunta a propósito da Amaralzinha, que estivera no baile sobre o qual D. Firmina falava. Estabelece-se um diálogo curto porém vivo, já que Aurélia agora toma parte ativa. Em seguida há um indício de volta ao estado de recolhimento – "a moça parecia de novo sentir sua alma refranger-se" – que ela rapidamente domina para retomar o tom vivo do diálogo. Essa segunda invectiva de Aurélia produz uma fala mais longa onde sobressai sua palavra sagaz e astuta inquirindo a acompanhante. Outra vez, entretanto, o diálogo decai com uma frase que a moça apenas murmura. Ela retoma a atitude meditativa e assim se mantém, aprofundando seu recolhimento. De modo que D. Firmina, para não constragê-la, volta-lhe as costas.

Cronologicamente, essa nova fase de recolhimento dura pouco, "não teriam decorrido cinco minutos". Entretanto, o tempo da interioridade se rege por outros parâmetros; de modo que, após esse pequeno lapso cronológico surge, de novo metamorfoseada, a Aurélia dos salões. Suas marcas: o lábio de nácar, o sorriso ríspido de "som trépido e cristalino". O significado de "crisálida", a que remete o nome Aurélia, aparece em plenitude:

A gentil menina surgira de sua pensativa languidez, como uma estátua de cera que transmutando-se em jaspe de repente, se erigisse altiva e desdenhosa, desferindo de si os lívidos e fulvos reflexos do mármore polido.

A crisálida, alma em recolhimento, sofre sua metamorfose e alça vôo. A cera – matéria moldável com que se faz a mulher da penumbra – transforma-se em jaspe, e essa mudança corresponde à passagem da mulher próxima de si para aquela que se aproxima do olhar público e se deixa admirar. Então tudo se transforma. Estivera recostada, agora se ergue. Estivera lânguida, agora, altiva e desdenhosa. Estivera apagada, agora se ilumina "desferindo de si os lívidos e fulvos reflexos do mármore polido". O ambiente também se metamorfoseia. Meditando, Aurélia se aninhava num gabinete que, como vimos, só tinha traços de aconchego. Agora, com a presença de D. Firmina, revela-se que há nele também "estatuetas de alabastro e vasos de porcelana colocados no mármore vermelho dos consolos". O vermelho tem, então, dupla conotação: o calor do papel aveludado da parede, o frio do mármore. Não há apenas o toque suave do pano mas o tato ríspido e frio da pedra. De modo que o caráter compósito do ambiente – misto de pano e pedra, de quente e frio – refaz a mulher que nele vive. Aurélia traz consigo e em sua casa lembranças miniaturizadas de seu cativeiro: o minúsculo relógio de ouro, as estatuetas sobre o consolo.

Um último movimento do capítulo levará à culminância a figuração da teatralidade da vida em sociedade. As janelas se transformam em cortinas de palco: a atriz as ergue e deixa que a luz do sol, até então vedada, domine completamente o ambiente. Postando-se no palco-sacada, ela se mostra inteiramente ao olho cósmico. Sua gestualidade é forçadamente teatral: "com petulância nervosa suspendeu impetuosamente as duas venezianas". E após alguns instantes de demora na sacada, "dirigiu-se ao piano e estouvadamente o abriu". E então representa: é agora a Norma que "rugindo ciúme, fulmina a perfídia de Polião".

Com a luz solar batendo em cheio sobre a mulher e o ambiente, chegamos ao ponto máximo de distância da situação inicial do capítulo. Lá, o máximo de proximidade da mulher com relação à interioridade correspondia a um máximo de distância do exterior. Aqui, o afastamento da interioridade e a aproximação do puramente exterior fazem sobrar apenas a máscara: a atriz, a Norma que ela tinha visto representada por Lagrange. Representação da representação. A referência à Norma, que Aurélia interpreta, é significante do significado "teatralidade" ou "ópera". Mas é também referência ao ato da refacção. Como o fora, no capítulo anterior, a afirmação de que "nunca da pena de algum Chatterton desconhecido saíram mais cruciantes apóstrofes contra o dinheiro, do que vibrava muitas vezes o lábio perfumado dessa feiticeira menina, no seio de sua opulência".

Nessa dimensão, a representação adquire um relevo especial. Diz respeito a um problema de concepção artística vinculado à situação da ficção alencariana enquanto reprodução de paradigmas. O modelo da narrativa pode ser a vida; nesse caso, falamos em verossimilhança. Mas pode ser ainda o contexto literário, o texto de Chatterton, a ópera de Bellini. E então entramos no domínio da paródia. Representar não é somente atividade da heroína quando recria personagens da tradição artística: aqui fingindo ser Norma, adiante desejando ser Desdêmona. Também o romancista, ao ler e reatualizar modelos, não estará representando?

Vejamos como termina a cena operística mimada por Aurélia. Sua natureza calculadamente teatral é explícita:

sentindo-se tolhida pela posição, abandonou o piano, e em pé, no meio da sala, roçagando a saia do roupão como se fosse a cauda do pálio gaulês, ela *reproduziu* com a voz e o gesto, aquela epopéia do coração traído, que tantas vezes tinha visto representada por Lagrange[10].

Em seguida, o narrador enfatiza o alto nível de virtuosismo e sobretudo de emoção da cena, de modo a

10. O grifo é meu.

provocar em nós a impressão do sublime, emanado da atuação da atriz. No parágrafo final, no entanto, o sublime escorrega bruscamente para o grotesco:

> Entretanto ela com a mesma volubilidade que a tomara ao erguer-se da conversadeira, correu para D. Firmina, travou-lhe do pulso fazendo-a de Polião, e deu imediatamente um jeito cômico à cena que terminou em risadas.

O ar reflexivo de Aurélia vira risada, a tragédia de Norma vira comédia. O tom elevado se torna rasteiro. E de degradação em degradação, Polião se transforma em D. Firmina Mascarenhas. E a "epopéia do coração traído" viraria o quê? Romance?[11]

Pode-se, assim, pensar que a metamorfose da mulher espelha a da narrativa. Arriscaria dizer que a imagem da transformação da crisálida em borboleta é obsessiva em Alencar, tal sua freqüência. Mais do que somente recurso imagético, a idéia da metamorfose, marcante nos "perfis de mulher", não estaria tocando uma importante questão estética — a da recriação dos temas universais da tradição artística? A discussão da relação entre cópia e original, que se encontra em outros romances do autor, tem presença marcante em *Senhora*, como se verá. Uma das feridas abertas em Alencar é a acusação de que seu trabalho de ficcionista é cópia de modelos importados. Como responder? Multipliquem-se os modelos, baralhem-se as referências. E agora? Onde está o original do qual *Senhora* seria cópia? Qual das referências espalhadas ao longo do romance? Chatterton? Bellini? Shakespeare? Balzac? Octave Feuillet? Lamartine? Byron? Ou o próprio Alencar que — num

---

11. Na página 344 de *Senhora*, Alencar faz a seguinte observação a respeito da natureza do romance: "A grande superioridade dessa forma literária penso eu que provém de sua natureza complexa; ela abrange e resume em si o drama, a narrativa e a descrição. Da justa combinação dos três elementos nasce o grande atrativo do romance". É curioso que esta afirmação encontra ressonância em algumas das modernas teorias do romance: como a de Lukács, que o considera fruto da paulatina desagregação da epopéia; ou a de Bakhtin, que vê em sua complexidade o resultado da fusão de elementos oriundos de outros gêneros. Cf. respectivamente, *La Théorie du Roman*, Paris, Gonthier, 1971 e *Esthétique et Théorie du Roman*, Paris, Gallimard, 1972.

lance sagaz em resposta à crítica – cita a si mesmo, quando faz referência a *Diva*?[12]

Para o momento, retenha-se apenas que a trajetória do capítulo II é paralela e oposta à do capítulo I. Neste, movíamo-nos da distância cósmica para a proximidade do drama. Naquele se dá o inverso: da proximidade do aconchego para a distância do exibicionismo. Aurélia é excêntrica. Gira em torno do olho de modo peculiar, ora se aproximando, ora se afastando. Daí o recurso à figura da elipse como explicação da narrativa: tanto no seu andamento geral, matéria do próximo capítulo: quanto em cada um dos pequenos movimentos, como procurei mostrar aqui.

---

12. *Senhora*, p. 306.

6. A VALSA

> ... *a solução do mistério sempre é inferior ao mistério. O mistério faz parte do sobrenatural e até mesmo do divino; a solução, da arte de fazer truques.*
>
> J. L. BORGES

A visão panorâmica de *Senhora* mostrou até agora, por um lado, as divisões possíveis da narrativa; por outro, algumas de suas chaves interpretativas. Procuraremos ver agora a natureza de seu movimento.

O capítulo anterior apontou na teatralidade o modo de estruturação e na elipse, a figura do movimento do romance. Considerando-o como totalidade dividida em dois grandes blocos, o espaço da câmara nupcial funcionaria como elemento de articulação – foco de atração e repulsão; ponto de chegada, partida e nova chegada do movimento narrativo. Organizado de modo teatral, o espaço de circulação das personagens comporta ambientes distintos: o palco, a platéia e os bastidores. Nos locais públicos — bailes, teatros, passeios — a divisão entre palco e platéia é nítida: o foco iluminado por onde passa a heroína-estrela, a penumbra da multidão anônima que contempla estática o espetáculo. No âmbito doméstico, essa dualidade reaparece nos ambientes destinados à convivência triangulada — as salas, o salão, o jardim — onde o casal vive o interdito matrimonial através da presença vigilante de Firmina ou de eventuais convidados.

Entretanto a casa é o reduto do terceiro espaço, que constitui o ponto de fuga do movimento. A ala íntima funciona para a platéia como bastidores indevassáveis; mas poderá também aparecer como palco aos olhos móveis do leitor, que a adentra graças à mobilidade do foco narrativo. Entretanto, nesse labirinto feito de gabinetes, escritórios e toucadores, todos os caminhos levam à morada do monstro: a câmara nupcial. Durante o primeiro bloco narrativo, que finda no primeiro encontro do casal no quarto conjugal, o movimento elíptico vai conduzindo o leitor bastidores a dentro até parecer que seu núcleo — o último reduto da privacidade — será finalmente desvelado. Mas ao invés do desnudamento da mulher no ato de amor... o desvelamento da verdade: o casamento conspurcado.

Desse modo, os dois blocos compõem os movimentos opostos que perfazem a trajetória elíptica. "Preço" e "Quitação" manifestam as forças de atração para a câmara nupcial, mas também contêm em latência as que provocarão, em seguida, o movimento contrário. "Posse" e "Resgate", partindo da situação manifesta de repulsa e afastamento, trazem em germe a convergência final do segundo encontro na câmara. A natureza teatral da elipse está, enfim, no giro enganoso a que se constrange o olho do leitor — graças às artimanhas do narrador — na tentativa de flagrar a metamorfose dos bastidores em palco, descobrindo, a cada vez, que o que parecia ser a verdade finalmente desnudada, nada mais é senão uma nova máscara.

Nas páginas de *Ao Correr da Pena*, Alencar atribui à noção de movimento uma conotação de modernidade[1]; mas também uma dimensão nitidamente erótica quando, citando Dumas, diz que "o prazer da velocidade tem um gozo, uma voluptuosidade inexprimível"[2]. Velocidade e movimento são emblemas da modernidade sobretudo por se relacionarem a conceitos científicos de astronomia e ótica. Conhecemos já a importância que o romancista atribui ao olhar como gesto básico de criação e conhecimento, bem como a recorrência da analogia entre mulher e estrela. Uma cena de *Lucíola* permitirá observar as conotações da idéia de movimento.

Antes do início da representação no Teatro Lírico, ao lado de um conhecido, Paulo se ocupa com uma atividade comum a moças e rapazes da moda: correr com os binóculos os camarotes que iam se enchendo. O instrumento capta as beldades como corpos celestes, e então, de binóculo que era, se torna telescópio:

À medida que fazíamos alguma descoberta astronômica, ou na região dos planetas de primeira e segunda ordem, ou entre as nebulosas de última esfera, comunicávamos ao companheiro, que imediatamente assestava o telescópio. Começavam então as competentes observações sobre o astro. Já tínhamos examinado algumas constelações ou grupos de estrelas brilhantes e dous ou três planetas superiores, discorrendo Cunha sobre a sua órbita, os seus satélites e o ponto da elíptica em que se achavam. Tínhamos lobrigado no fundo de um camarote a cauda luminosa de um cometa[3].

A órbita dos corpos celestes é elíptica, como o movimento de translação da Terra ao redor do Sol. Contrariamente à uniformidade do movimento circular, a elipse se decompõe em dois momentos opostos: um de atração, outro de repulsão. É o caráter elíptico do giro do planeta em torno do foco solar que explica as fases em que nasce, se desenvolve e morre a natureza nas quatro es-

---

1. As inovações tecnológicas despertam grande interesse no Alencar cronista. Uma de suas crônicas, a de 3 de novembro de 1854, relata a chegada ao Brasil das primeiras máquinas de coser importadas. O escritor fala delas misturando erotismo e fetiche. As referências à noção de movimento estão nas crônicas de 10 de dezembro de 1854 e 27 de maio de 1855. Cf. *Ao Correr da Pena*, respectivamente pp. 71, 97 e 189.

2. Cf. a crônica de 10 de dezembro de 1854, citada na nota anterior, p. 99.

tações do ano. A elipse é responsável pelas sucessivas metamorfoses da natureza, pelo eterno retorno cíclico da vida depois da morte.

Vista como natureza porque desordem – "...porque o coração, e ainda mais o da mulher que é toda ela, representa o caos do mundo moral"[4] – ser telúrico larvar destinado, entretanto, às alturas da borboleta, a mulher alencariana dos "perfis" se caracteriza pelas mutações cíclicas, pelas constantes metamorfoses. Aurélia, ansiando pelo retorno à vida depois da morte, dirá ao retrato do homem amado: " – Oh! então havemos de viver a dobro, para descontar esses dias que desvivemos!"[5] Lido segundo o código do conto de fada, o período do casamento não consumado corresponde ao intervalo de tempo em que a donzela morta espera o beijo de amor que a restituirá para a vida[6]. É conhecido o caráter alegórico desses contos relacionado às mutações naturais. Assim, não é casual que a interdição matrimonial em *Senhora* dure onze meses. Ao final de um ano, a natureza-mulher recupera sua primavera depois de um longo letargo.

A metáfora inaugural do relato é a da estrela que, tomando corpo e se aproximando, metamorfoseia-se em mulher. O olhar capta o movimento de aproximação e a simultânea metamorfose. O olho, centro do conhecimento, é o Sol em torno do qual gira a heroína. O Sol, olho cósmico, desnuda a beleza feminina pela luz que desfere. O movimento do romance, como vimos, des-

---

3. *Lucíola*, p. 15.
4. *Senhora*, p. 247.
5. *Idem*, p. 324.
6. Cf. *Repressão Sexual*, p. 35. A autora analisa os contos de fada que chama de contos de partida, nos quais a sexualidade genital terá prioridade sobre as outras formas com as quais vem misturada, podendo ser aceita depois que as personagens passarem por várias provas que atestem sua maturidade. Gata Borralheira, Branca de Neve e Bela Adormecida mantêm-se em espera, na cozinha, no caixão de vidro ou em sono profundo – após o que sofrem uma metamorfose. Seria interessante pesquisar, numa perspectiva didático-moralizante, os traços que os romances urbanos de Alencar compartilham com os contos de fada. Para ilustrar, lembro a recorrência do intervalo de tempo correspondente à adolescência (em geral dos dezesseis aos dezoito anos) em que as heroínas de *Sonhos d'Ouro* e *A Pata da Gazela* esperam, antes de se julgarem preparadas para o casamento.

creve a órbita elíptica do corpo celeste-mulher em torno de seu núcleo, Sol e Olho[7].

Para compreendermos esse movimento relacionando-o ao drama vivido por Aurélia, é preciso porém introduzir um elemento a mais. O relato fala-nos do desejo eternamente insatisfeito da heroína. Pobre, deseja Seixas mas é abandonada. Rica, deseja-o ainda; mas, aproximando-se dele na câmara nupcial, constata agudamente a ausência de correspondência entre o homem e a imagem que construíra. Isso e a conseqüente interdição da consumação do matrimônio renovam a insatisfação de seu desejo.

O desejo difere da necessidade porque essa implica numa relação dual do tipo fome-comida, sede-bebida, cansaço-sono. Aquele acrescenta a essa relação um elemento a mais. Entre desejante e desejado deve haver a coisa imaginada como capaz de realizar a relação entre ambos[8]. O trabalho do imaginário é, desta forma, fundamental para a existência do desejo. Não por casualidade se explica uma das estranhezas da moça dizendo que ela "amava mais seu amor do que seu amante; era mais poeta do que mulher; preferia o ideal ao homem"[9]. De passagem reitera-se a analogia entre o fazer de Aurélia e o do poeta-narrador, ambos buscando no real apenas a matéria para o que de fato os apaixona, o trabalho do imaginário. É no imaginário transfigurador do real que Alencar localiza a fonte da criação original:

Era um desses retratos em que o modelo, em vez de impor-se, inspira o artista; e que deixam de ser cópias e tornam-se criações[10].

É significativa também a forma como a moça revive o primeiro contacto com o amado. À noite, trabalhando na costura, ela tentava lembrar-se da figura do rapaz

---

7. Roland Barthes diz que "em certos casos, o relato parece desenvolver formalmente uma figura de retórica, que é como sua matriz". Creio que isso se aplica a *Senhora*, ressalvando que não se trata apenas da elipse como figura retórica mas talvez – de modo mais amplo – como uma teoria do conhecimento implícita no romance. "Masculino, Feminino. Neutro", p. 11 (em nota).

8. *Repressão Sexual*, p. 159.

9. *Senhora*, p. 247.

10. *Senhora*, p. 298.

que vira à tarde. Da fisionomia, nada conseguia recuperar. Entretanto "se recolhia-se no íntimo, aí o achava, e via-lhe a imagem, como a tivera diante dos olhos à tarde"[11]. O que brota nela é desejo, tentativa de se unir ao homem através da imagem què dele fizera. A peculiaridade do desejo, porém, está em que nunca nos dá a certeza de plena realização. É o que diz Marilena Chauí:

> Por que desejamos o desejo de uma outra pessoa, a liberdade de cada um, os acidentes e destinos de cada um, o jogo das relações sociais, tudo impede (a não ser na tirania) a certeza do definitivo e da plenitude[12].

Sendo de natureza imaginária e negando sempre a sensação de plenitude, o desejo tem a ver com o movimento elíptico de Aurélia em torno de Seixas: ela se aproxima do objeto amado até o ponto máximo em que conhece não haver coincidência entre ele e a imagem que os fundiria. E então se afasta para, em seguida, recomeçar a aproximação. O desejante corre atrás do que eternamente lhe escapa. É o suplício de Tântalo a que se refere a heroína falando da crueldade que significa "adorar um ídolo para vê-lo a todo o instante transformar-se em uma cousa que nos escarnece e nos repele..."[13].

Na sucessão cronológica dos acontecimentos, a oposição atração/rejeição desenharia o seguinte traçado: no passado da pobreza, Aurélia é atraída pela imagem que faz de Seixas. Ele, porém, não se sente atraído senão momentaneamente, porque ela não possui a imagem que ele busca: o dinheiro. Recusada pelo avô, que não lhe aceitava a legitimidade da família, a moça fora rejeitada pelo dinheiro, que lhe virá depois pela herança. Rica, entretanto, será bem sucedida por dois motivos. Primeiro porque, agora, ela calcula seus passos, tecendo meticulosamente a teia em que enredará o amado. A espontaneidade da moça pobre dará lugar ao cálculo da milionária. Mas o sucesso é garantido sobretudo pela transformação operada pela herança. Como possuidora da imagem ouro, ela será seu símbolo, ostentando-lhe a ambigüidade: brilho e opacidade, calor e frio, néctar e veneno, suavidade e rispidez, atração e repulsa. O que

---

11. *Idem*, p. 240.
12. *Repressão Sexual*, p. 159.
13. *Senhora*, p. 284.

importa é justamente a travessia entre esses opostos, o movimento; pois, no dizer de Aurélia, o ouro "não é um mal; muitas vezes torna-se um bem; mas em todo o caso é um perigo"[14]. Seixas bem poderia dizer o mesmo a respeito dela.

No primeiro bloco narrativo, a força de atração encaminha Aurélia e Seixas para o núcleo do relato, a câmara nupcial. Esta se metamorfoseia subitamente – pela palavra desnudadora da mulher – em ponto de arranque do movimento oposto de repulsão. A moça atingira um máximo de proximidade com relação ao rapaz: está quase a sós com ele no quarto. O "quase" vai por conta da fresta pela qual o narrador e o leitor espiam a cena. Essa proximidade lhe permite compreender a distância entre o homem-modelo e a imagem fabricada. Sua reação, então, é de repulsa.

Começa a segunda fase no presente da riqueza, que corresponde ao segundo bloco narrativo. Aqui, a heroína vai se afastando do homem real no mesmo passo em que se aproxima do imaginado. No auge desse movimento, a moça manda pintar o quadro, não do Seixas que tem à frente, mas daquele que vira pela primeira vez – a imagem. O que fora no passado apenas realidade mental se exterioriza e toma corpo como imagem objetivada em pintura. Na conclusão desse processo serão fundidos imagem e modelo.

A natureza da elipse deve ser compreendida melhor. Trata-se de uma curva geométrica que possui dois focos. No giro dos planetas ao redor do Sol, o astro central ocupa apenas *um* dos focos da elipse[15]. Eis o que torna ambíguo o movimento: qualquer percurso é sempre e ao mesmo tempo de aproximação de um dos focos e de afastamento do outro. Isso permite entender melhor a movimentação da nossa narrativa.

Um de seus focos já conhecemos. É o Sol como símbolo do ouro e este enquanto materialização do trabalho abstrato contido na mercadoria, de acordo com a análise de Marx. O ouro é, nesse sentido, o sol do sistema social. Mas o Sol é também símbolo do Olho, o

---

14. *Idem*, p. 292.
15. Cf. FARIA, R. P. (org.). *Fundamentos de Astronomia*. Campinas, Papirus, 1982, p. 82.

foco de luz do sistema de conhecimento. A peculiaridade dessa luz está em revelar a pura exterioridade, a materialidade do corpo, o ídolo. É luz intensa que torna visível a superfície das coisas, mas impede enxergar aquilo que, por detrás da superfície, foge na penumbra da entrelinha. Desse tipo são os "olhares ardentes e cúpidos"[16] que os cortejadores da Aurélia pobre desferem sobre ela, que lhes responde transformando-se em estátua, como forma de autoproteção. É o olhar público que lê o real invertidamente porque se detém em seu verniz. Desse tipo é, ainda, o ouro que cativa idólatras na prisão de um mundo petrificado pelo fetiche. É o ouro infecto e venenoso que "despreende de si (...) miasmas que produzem febre, e causam vertigens e delírios"[17].

A essa luz material se opõe, como segundo foco da elipse, a luz do espírito, que é intuição, que é ver com os "olhos da alma"[18]. É o olho do leitor que deve agarrar, na entretela do tecido narrativo, aquilo que a palavra silencia enquanto fala. É a luz que faz entrever, por detrás da carcaça de um mundo marmóreo porque fragmentado, o fluido e fugidio fogo espiritual, sol interior, centelha divina[19]. O fogo artístico de Pigmalião. O anticlassicismo romântico de Alencar, contrastando dois modos diversos de apreensão do real, privilegia o segundo. O primeiro é o dos olhos do corpo, o racional; o segundo, correspondente aos olhos do espírito, é o intuitivo mas também o imaginário criador. Na simbólica planetária, diríamos que um é solar e diurno, o outro, noturno e lunar[20].

---

16. *Senhora*, p. 236.
17. *Idem*, p. 292.
18. A expressão, que é de Alencar, encontra-se em *Cinco Minutos*, p. 5.
19. Os maneiristas posteriores a Pontormo deslocam o ponto de observação para o interior. Por oposição a Leonardo da Vinci, que acentuava a relação material entre sujeito e objeto, aqueles "não mais contemplarão com os olhos da carne, mas com os olhos do espírito. Eles observarão tudo através da imaginação e não mais através da 'natureza' ". *Maneirismo: O Mundo como Labirinto*, p. 51.
20. O maneirista Pontormo, por exemplo, é tido como natureza introspectiva, tipo saturnino e lunar. Cf. *Maneirismo: O Mundo como Labirinto*, p. 51. Um "maneirista" moderno, exímio artífice de labirintos e es-

A duplicidade de focos da elipse possibilita compreender a atitude de Aurélia perante o olhar público, tal como foi analisada nos dois capítulos iniciais do romance. Em suas aparições em sociedade, aproximando-se do olho estático da platéia, a heroína se obriga a vestir a gélida máscara da estátua sarcástica. Recolhida no espaço doméstico, entregue à própria solidão, já não precisa da máscara. Próxima de sua interioridade, entrega-se à meditação. Suas feições já não refletem a luz solar, "seus olhos já não têm aqueles fulvos lampejos, que despedem nos salões"[21]; ao contrário, está melancólica. Ao máximo de proximidade do olho público, corresponde um eu objetivado em máscara que é não só meio de ataque da mulher que, propositalmente, exibe a olhos da concupiscência sua beleza marmórea, mas também modo de defesa da interioridade. A pedra fria veda a olhos profanos o fogo que anima seu interior. Ao mesmo tempo, a distância da exterioridade corresponde à penumbra aconchegante – luz interior, subjetividade, devaneio.

Aurélia gira em torno do Olho: da platéia, de Seixas, do leitor. A descrição de suas aparições espetaculosas capta-a em movimento. Seu giro elíptico é escolha de mulher calculista. Ele lhe permite desenvolver a estratégia de enredamento. Como continuamente se aproxima e se afasta, ela também se torna a desejada que sempre nos escapa. E aqui reencontramos sua semelhança com a narrativa.

O enredo inverte a linearidade cronológica dos acontecimentos porque, no passado, Aurélia apenas intuíra a imagem e compreendera sua defasagem com relação ao modelo. A estrutura narrativa, entretanto, não figura o gesto originário mas o processo de lavor escultórico que transforma a intuição em produto artístico objetivado. Aurélia planeja esculpir seu "senhor". Para isso, paulatinamente vai ajustando imagem e modelo. Diz ela ao retrato do marido, quase ao final do romance:

---

pelhismos, também confessa seu parentesco com a lua: "No lo sabrá eludir este resumen/ De mi largo comercio con la luna". São versos de BORGES, em *El Hacedor*, Madrid, Aliança/ Emecé, 1972, p. 92.

21. *Senhora*, p. 184.

... quando nele encontrar-te a ti, o meu ideal, o soberano de meu amor; quando tu e ele fores um, e que eu não vos possa distinguir nem no meu afeto, nem nas minhas recordações; nesse dia, eu lhe pertenço...[22]

No momento da intuição, que é espontâneo, a moça fora atraída pelo homem que lhe revelara, objetivada, a imagem adormecida em sua alma. A realização da obra requer, ao contrário, a postura ativa, o conhecimento do material e dos instrumentos de trabalho. A mulher, então, arquiteta o plano pelo qual atrairá o amado. O romance tem início no justo começo da execução desse plano. Espelhisticamente, portanto, o processo de construção da narrativa reflete o processo semelhante de elaboração do "senhor" como estátua em que se fundem a matéria – o homem real – e a forma – a imagem.

Da mesma forma como a criadora – "senhora" – se traveste em criatura – "escrava"; da mesma forma como através da caprichosa se entrevê a calculista; da mesma forma como pelas pregas da roupa da estátua de gelo escapam as labardedas de fogo da bacante. Assim também aquela que se deixa olhar por tantos olhos sabe olhar melhor do que ninguém. Os outros são atraídos espontânea e passivamente pelo objeto do olhar – beleza e ouro – pois que fazem parte da sociedade da ostentação/voyeurismo. Somente ela olha calculadamente, para petrificar com o olhar. Medusa e Pigmalião se assemelham como verso e reverso do mesmo processo. A estátua de Pigmalião parece um ser vivo. O ser vivo que a Medusa olha se torna estátua. A mulher se apresenta como metáfora do ouro – a imagem desejada pelo homem – para transformar em imagem o homem que deseja.

Na elipse, como vimos, atração e repulsão são o mesmo movimento, variando apenas o ponto de referência. Não é casual que Seixas, por sentir repulsa por Aurélia, acabe aceitando a mão da noiva desconhecida que é... Aurélia. O giro elíptico é de tal forma cambiante e enganoso que, assim como Aurélia dança em torno do olho fixo da platéia e do nosso, nós também dançamos em torno desse obscuro objeto enigmático que é a mu-

22. *Idem*, p. 325.

lher, procurando vê-la em várias facetas, olhando-a a partir de diferentes distâncias. A ambigüidade desse giro se manifesta numa das travessias espetaculosas da heroína:

> No meio das ondulações da seda parecia não ser ela quem avançava; mas os outros que vinham a seu encontro, e o espaço que ia-se dobrando humilde a seus pés, para evitar-lhe a fadiga de o percorrer[23].

A elipse não é somente figura do movimento narrativo mas também a figura retórica privilegiada pelo estilo de *Senhora*. Enquanto modo de expressão caracterizado pela ausência de um ou vários elementos lingüísticos, a elipse é a figura da ocultação[24]. É a base sobre a qual se constroem outras figuras de estilo: a sugestão, o suspense, as reticências e a ironia – em grego "dissimulação". O gosto de Alencar pelo estilo elíptico remonta à produção jornalística. Nas crônicas, o tom bem humorado, fluente e leve – necessário tanto ao veículo quanto ao tipo de leitor visado – tira suas características do predomínio dessas figuras que são fundamentais para a economia narrativa em *Senhora*, ao nível dos torneios de frase. As falas de Aurélia, sobretudo, são tão marcadas pela sinuosidade das sugestões, da ambigüidade e da ironia que raras vezes sua palavra tem sentido direto e unívoco. Excetuados os momentos em que fala a sua mãe – o que no romance é significativo – suas frases freqüentemente são feitas de propósito para deslizar de um sentido a seu oposto.

Passando do nível da frase para o da narrativa como grande sintagma, a elipse se verifica na supressão de seqüências temporais determinadas. Genette considera-a como procedimento vinculado à própria essência da narrativa ficcional, pois em todo relato dessa natureza procede-se a uma escolha que realça alguns fatos e omite outros[25]. Se nesse sentido a elipse é procedimento básico da ficção, ela é no entanto privilegiada naquela que visa principalmente a surpreender o leitor. Como se sa-

23. *Idem*, p. 216.

24. CASTAGNINO, R. *Análise Literária*, São Paulo, Mestre Jou, 1971, pp. 277 a 284.

25. Genette fala em "elipse" apenas nos casos de omissão de natureza temporal, chamando de "paralipse" outros tipos de omissão. Cf. *Figures III*, pp. 139-141.

be, diversas ficções românticas recorrem a essa técnica, desde os folhetins de Sue até os geniais contos de Poe.

O que me parece peculiaridade de *Senhora* é que a elipse está na raiz dos procedimentos em vários níveis. Vimos que ela pode explicar o movimento narrativo até mesmo de um único capítulo. Que se liga à escolha das figuras de estilo e à temática da sedução amorosa, feita de aproximações e afastamentos, de aparições teatrais e desaparecimentos súbitos. E, enfim, atinge a articulação das partes em que o romance é dividido. A segunda parte – "Quitação" – se relaciona com a primeira porque traz para frente da cena os fatos que, na primeira parte, estavam em elipse. O momento capital da narrativa – o encontro na câmara nupcial – do modo como aparece no fim da primeira parte, tira sua eficácia daquela elisão de fatos. Algo semelhante ocorre nas duas partes finais. "Posse" e "Resgate", na medida em que cobrem a cronologia do casamento interditado, dizem respeito a uma seqüência temporal suprimida perante os olhos da platéia, no romance, mas não perante o marido e o leitor. Firmina Mascarenhas, que faz as vezes do público na casa de Aurélia, desconhece a existência do interdito. Essa duplicidade, aliás, serve para elevar a voltagem do suspense nos dois blocos narrativos. No primeiro, o efeito visado pela primeira parte do romance dependia da elipse dos fatos que a segunda revelava. De modo paralelo mas inverso, o efeito do segundo encontro na câmara, no último capítulo do romance, dependerá do artifício da heroína: a supressão da seqüência dos fatos contidos nas duas partes finais.

Concluindo o esboço da figura da elipse como chave interpretativa do romance, vejamos alguns dados mais gerais a seu respeito. A obra de Hauser permite vislumbrar o tributo que o romântico Alencar paga à visão anticlássica. E Gustav Hocke, historiando a crise da cosmovisão clássica provocada pelas teorias de Copérnico, Bruno e Kepler, mostra que ao ideal clássico da perfeição corresponde a idéia de que a Terra se acha no centro de uma circunferência. Em contraposição, Copérnico afirma que o planeta não é o centro do universo; para Bruno "todo movimento devia, com o tempo, deixar de lado toda forma circular"[26]. E Kepler, além de

---

26. *Maneirismo: O Mundo como Labirinto*, p. 216.

provar que é elíptica e não circular a órbita dos planetas, descobre que estes se movem mais rapidamente quanto mais próximos estão do Sol. *Senhora*, aliás, oferece uma ilustração deste fato. Em sua passagem meteórica pelo firmamento da Corte – o espaço público enfocado no primeiro capítulo do romance – a heroína se encontra muito próxima do olho solar do público, que lhe revela somente a exterioridade. A duração dessa proximidade é pequena: apenas um capítulo, ao final do qual o narrador nos convida a acompanhar o "drama íntimo". E no domínio da intimidade da casa, afastada do olhar mundano dos freqüentadores dos salões, a narrativa se deterá quase que exclusivamente até o final.

A estética da elipse expressaria, em última análise, o sentimento de descentramento, de irrealidade, o "horror vacui". Uma visão de mundo para a qual "existem inúmeras verdades(...) que se perdem por entre os meandros do labirinto"[27], para a qual "a verdade só é um objetivo definido porque ela jamais poderá ser definitivamente 'objetivada' por conceitos humanos"[28]. A verdade – como o desejo – jamais dá garantias de plena revelação. Daí a magia do segredo que eternamente se recoloca, verdade sempre em fuga, busca sempre incessante. Benedito Nunes, referindo-se ao Romantismo enquanto categoria psicológica, aponta na sensibilidade romântica

o elemento reflexivo de ilimitação, de inquietude e de insatisfação permanentes de toda experiência conflitiva aguda, que tende a reproduzir-se indefinidamente à custa dos antagonismos insolúveis que a produziram[29].

Anteriormente propus uma divisão do romance baseada no título de cada uma das partes. Ela figuraria dois momento opostos. Um, em que o valor de uso se transforma em valor para atrair, na esfera pública do mercado, seu equivalente em ouro. O outro, seqüência do primeiro, em que novamente transformada em valor de uso, a mercadoria é expulsa da esfera pública, adentran-

---

27. *Idem*, p. 15.
28. HOLTHUSEN, H. E. "Unter amerikanischen Intellektuellen". *Apud* HOCKE, G. *Maneirismo: O Mundo como Labirinto*, pp. 222-224.
29. "A Visão Romântica", p. 52.

do a esfera privada do consumo. Trata-se, aqui também, de um movimento elíptico.

Marx diz que a sociedade que produz bens como mercadorias se assenta sobre uma contradição:

... a troca de mercadorias encerra elementos contraditórios e mutuamente exclusivos. A diferenciação das mercadorias em mercadorias e dinheiro não faz cessar essas contradições, mas gera a forma dentro da qual elas se podem mover. Este é, afinal de contas, o método de solucionar contradições reais. É uma contradição, por exemplo, ser um corpo, continuamente, atraído e repelido por outro. A elipse é uma das formas de movimento em que essa contradição se dá e se resolve ao mesmo tempo[30].

A elipse é, pois, o que permite a coexistência tensa entre elementos contrários, num equilíbrio precário por que continuamente ameaçado de ruptura. É o que define as relações instáveis e desarmônicas entre os opostos Aurélia – Seixas. É o que marca as relações entre a narrativa como interioridade, cujo acabamento só se realiza, porém, na tensa convivência com o olho que, do exterior, incide sobre ela.

Retomemos alguns dados referentes a tempo. No presente da enunciação se inserem o narrador dissimulado e o leitor a quem aquele relata a estória. No nível do enunciado, predomina a temporalidade que convencionei chamar de "presente da riqueza". Com relação a ele, o "passado da pobreza" não tem autonomia temporal, servindo como determinante daquele presente que constitui o corpo da narrativa. Assim, o que os diferencia não é apenas a forma: o presente, no seu caráter dramático, se constitui marcadamente por diálogos, sendo o momento de maior atuação do narrador dissimulado. No passado épico-narrativo, predomina o narrador onisciente. A diferença é também axiológica: para Aurélia o passado é o tempo exemplar, mítico, para o qual devem tender os acontecimentos de modo a recuperar no futuro esse passado perdido.

O espaço se deixa também contaminar por essa diferenciação temporal. De tal modo que ao presente da riqueza – que é o momento em que a mulher se desdobra

---

30. *O Capital*, pp. 116-117.

em mulher e imagem – corresponde um espaço desdobrado de modo teatral, como já vimos. O espaço do passado da pobreza, o regaço da família natural de Aurélia, não comporta aquela tridimensionalidade. Em geral, no universo urbano de Alencar, o recinto sagrado da família não admite olhos profanos, daí ser um mundo fechado por quatro paredes. Por isso também a janela da casa é freqüentemente a fresta pela qual a família corre o risco de perder sua sacralidade de espaço oculto.

A separação do romance em dois blocos, que agrupa suas quatro partes duas a duas, manifesta-se exteriormente na forma pela qual foi publicado pela primeira vez. Dois volumes: um, contendo "Preço" e "Quitação"; outro, "Posse" e "Resgate"[31]. O que reforça a idéia da centralidade da câmara nupcial, espaço que finaliza ambos os volumes. Sua centralidade é espacial também porque, na ala íntima da casa, é o ponto de convergência e divergência dos aposentos pertencentes a cada um dos dois habitantes.

Temporalmente ela é o ponto para o qual converge o movimento narrativo durante o primeiro bloco, que tem seu ápice no colóquio do casal após a cerimônia de casamento. A partir de então, o movimento contrário de dispersão afasta bruscamente o par amoroso, impedindo a consumação do matrimônio e interceptando o curso normal dos acontecimentos. De modo que os onze meses de união aparente e desunião oculta são, como disse, uma temporalidade em elipse.

A diferença entre o primeiro bloco e o segundo é que naquele o suspense é menor, porque o desenrolar dos acontecimentos já está de certo modo previsto pelas normas de conduta sociais que exigem que o namoro termine em casamento. No segundo bloco, o interdito de ordem social é substituído por outro, puramente individual, que pode ser levantado a qualquer momento: daí vem a impressão de risco e perigo que marca as duas partes finais.

O segundo bloco narrativo começa a partir da dispersão desencadeada pela conversa do casal ao final do primeiro bloco; ao mesmo tempo, entretanto, ele caminha para nova convergência no mesmo local. Já vimos

31. Cf. *Romances Ilustrados de José de Alencar*, cit., v. 7, p. 178, em nota da edição.

que é um percurso elíptico; resta perceber ainda que é de natureza espiralada. Pois o segundo encontro, ao mesmo tempo reproduz e modifica o primeiro. Ambos se assemelham porque o cenário e o vestido da atriz são os mesmos. Mas diferem pela inversão dos papéis: a "escrava" finalmente se ajoelha diante daquele que, antes, se ajoelhara perante ela.

Tanto no primeiro quanto no segundo bloco, a convergência para a câmara nupcial é feita de marchas e contra-marchas. No primeiro, há a resistência de Seixas contra a força que o arrasta para Aurélia. E no segundo, essa resistência é acrescida da repulsa que a mulher declara sentir pelo marido, embora ao mesmo tempo e às ocultas ela deva lutar contra sua atração por ele. Ora, esse caminhar estranho em que nunca se sabe se o passo à frente não é um passo para trás. Essa estrada que parece a Seixas afastá-lo de Aurélia, acabando porém por jogá-lo em seus braços. Que, para o leitor, parece levar à desunião do casal mas que acaba por reuni-lo — daí talvez a impressão de final forçado que o romance provoca. Esse tipo de percurso tem um só nome: labirinto — o caminho tortuoso que conduz a um ponto certo[32].

Num ensaio intitulado "As Rosas e o Tempo", Antonio Candido mostra como o tema do convite amoroso foi tratado durante os séculos de domínio da cultura clássica. O poeta, argumentando com a fugacidade do tempo e o caráter perecível da beleza carnal, insta a dama a abandonar suas resistências para gozar a hora que foge. O autor aponta a natureza essencialmente labiríntica do jogo amoroso. A sociedade e os parceiros estabelecem regras com as quais se constrói "um mapa insidioso e vário, onde nem todos encontram o fio salvador"[33]. Do ponto de vista etnológico, a mulher é um bem de troca cuja circulação deve obedecer a regras que impeçam a subversão das relações do grupo. Essas regras, de condições sociais que são, passam a ser sentidas como naturais, como se houvesse uma natureza feminina feita para recuar e outra, masculina, feita para avançar.

---

32. Cf. *Maneirismo: O Mundo como Labirinto*, p. 165.

33. CANDIDO, Antonio in: *O Observador Literário*, São Paulo, Conselho Estadual de Cultura, 1960, p. 39.

Em *Senhora*, a inversão de papéis faz do homem o bem de troca, cabendo-lhe recuar enquanto a mulher avança. Entretanto, dada a codificação social das regras de comportamento, este avanço deve ser estritamente dissimulado. Na fase de captura anterior ao casamento, quando o noivo ainda está no domínio público, o ataque será acobertado pela pessoa do tutor. De modo que o jogo de mostra-esconde, a dubiedade dos fatos, as inversões de papéis imprimem à narrativa um caráter labiríntico.

De passagem, lembro que o interesse de Alencar por esse tipo de relato vem de longe. Seu primeiro romance, *Cinco Minutos*, é um traçado tortuoso de caminhos pelos quais um jovem carioca se perde, tateando às cegas as ruas do Rio, em busca da identidade da amada que sempre lhe foge. A referência ao labirinto é literal, quando o rapaz vê na mãe da moça "...o fio de Ariadne que me podia guiar neste labirinto de dúvidas"[34].

A natureza labiríntica do relato em *Senhora* se mostra no movimento sinuoso em torno da câmara nupcial. Mas também na arquitetura da ala íntima da casa, feita de salas com várias portas, algumas ocultas, a maioria recoberta por reposteiros, corredores escuros etc... Além disso, para Aurélia, é labiríntica sua caminhada em busca do amado que constantemente lhe escapa. Só que seu plano de sedução consiste em inverter os papéis, dando a Seixas a impressão de que é ela quem lhe escapa ao tornar obscuros os motivos de suas palavras ambíguas, de seus atos dúbios. Pois a sedução, segundo Baudrillard, consiste em "fazer crer que o outro é sujeito do desejo e então... desaparecer"[35].

Para o leitor, o objeto em fuga é o coração do relato: a câmara nupcial interditada, o espaço vazio que, garantindo a irrealização de nosso desejo, garante também sua permanência. A narrativa, correndo sempre o risco da fuga do olho de seu leitor, empreende sua estratégia de sedução. Ostenta-nos o local onde supostamente será realizado o desejo de enlace amoroso do casal. Cria, assim, a crença de que somos o sujeito do desejo de desenlace do romance; e então...desaparece.

34. *Cinco Minutos*, p. 7.
35. *Apud* SANTOS, J. F. "A Estratégia da Tigresa". *Folha de S. Paulo (Folhetim)*, 3 de fevereiro de 1985.

O elemento desencadeador do movimento é a posse na sua já apontada ambigüidade: amor e dinheiro, posse afetivo-sexual e posse econômica. Na sucessão cronológica dos fatos, Aurélia é de início arrastada para Seixas pelo sentimento do amor avassalador. Começando pela troca de olhares entre ambos à janela da moça pobre, este movimento parte de um brevíssimo idílio de amor correspondido. Daí para frente, Seixas vai pouco a pouco escapando até acabar por se afastar completamente, quando se retira para Pernambuco. Postos neste estado, os fatos tenderiam a uma situação de inércia: Seixas ausente, Aurélia órfã e pobre. O que vem dar novo impulso ao movimento é o dinheiro, a herança repentina. Aurélia, seduzida pela imagem do homem, ostenta-lhe então a imagem sedutora do ouro. E o arrasta para ela.

No segundo bloco narrativo, a situação é de afastamento entre ambos. O período que vai do colóquio do casal até o penúltimo capítulo do romance se caracteriza pela paralisia de Seixas, que nem pode repor a soma que o libertaria, nem retomar o curso usual dos acontecimento com a consumação do matrimônio. De novo é o dinheiro que vem desbloquear o caminho, libertando o rapaz. Os quinze mil réis da venda inesperada de um privilégio, junto a seis contos poupados do ordenado, formam a quantia necessária para recomprar-se. O que significaria seu desligamento da mulher, um último e definitivo afastamento. Esse, entretanto, é subvertido e transformado na reaproximação final graças, outra vez, ao dinheiro. Aurélia se ajoelha, revela-se escrava ao mesmo tempo em que lhe ostenta o testamento pelo qual transferia ao marido toda sua fortuna. Como se vê, é muito estreita a imbricação entre o processo de sedução afetiva e o de sedução material.

O romance mostra essa imbricação através de um quadro em que a norma político-social foi transgredida: a mulher é senhora, o marido, escravo. Juridicamente a posse econômica do escravo se manifesta pela posse física, pelo direito de vida e morte do senhor sobre o corpo do escravo. O domínio político-econômico acaba tendo forte conotação sexual. No poema de Castro Alves, *A Cachoeira de Paulo Afonso,* em que se denuncia a violência dessa dupla posse, a dominação se exerce de modo convencional, do senhor sobre a escrava[36]. Em *Senhora*, a inversão dos papéis sexuais redunda numa transgressão pois quem domina é aquela que deveria ser dominada. A mulher é caçadora, o homem, caça. Inverte-se a relação de "leão" e "gazela" que se encontra n' *A Pata da Gazela*. Aliás, se é comum nos romances urbanos de Alencar o homem ser o "leão", em *Senhora*, a "juba" é atributo metafórico de Aurélia[37].

Amor e dinheiro, elementos desencadeadores do movimento romanesco, assemelham-se porque ambos aparecem como frutos do acaso; e também porque, como veremos adiante, trazem em sua raiz violência e posse. A característica do acaso é sua irrupção inesperada sobre o desenrolar normal dos acontecimentos, além da inescrutabilidade de sua lógica. Como o dinheiro na análise de Marx, o acaso oculta determinações concretas.

O amor que toma posse de Aurélia é de tal modo avassalador e sem lógica aparente que ela se vê constrangida a recusar a proposta de casamento com Abreu, reconhecido por todos como o melhor dos pretendentes. É amor divino, que habita as "almas iluminadas pelo fogo sagrado"[38]. Semelhante é a natureza enigmática e espectral do dinheiro. O avô de Aurélia, a própria encarnação do acaso, invade a sala da moça pobre para transformá-la em milionária. Inesperada é a chegada dos quinze contos do privilégio de Seixas. Inesperado é o testamento que a mulher mostra ao marido para impedir sua fuga final. Acaso, divindade, amor e dinheiro – os fios de que se tece nossa tela.

No entanto, a aparente falta de lógica das súbitas entradas do dinheiro em cena deixa entrever sua lógica oculta. A herança de Aurélia serve-lhe tanto para comprar o noivo como para impedir a fuga do marido, pelo testamento. Esse dinheiro provém do sistema escravista, o mundo do latifundiário Camargo. O acaso desse dinheiro mostra, então, a verdadeira face: a lei do patriarca, dono e senhor absoluto de bens e pessoas de sua jurisdição. Por outro lado, os quinze contos de Seixas são frutos da venda de um privilégio obtido graças a sua po-

---

36. *O Canibalismo Amoroso*, p. 46.
37. *Senhora*, p. 216.
38. *Idem*, p. 240.

sição dentro da administração pública, um resquício do tempo em que ele era ainda "homem livre". De modo que a aparente casualidade das somas aponta para um confronto: o amor-missão de que Aurélia se investe se alia ao dinheiro produzido pelo escravismo para enfrentar e derrotar o incipiente mundo dos valores burgueses.

O primeiro bloco narrativo corresponde à etapa inicial do plano de captura, a qual consiste em levar o moço a aceitar o arranjo matrimonial. Ela será desenvolvida principalmente na primeira parte do romance, "Preço". O segundo bloco diz respeito à etapa seguinte do plano, na qual Aurélia modelará o amado imaginário a partir do homem real que terá em mãos.

Já observei que a narrativa caminha por marchas e contra-marchas. A forma de composição de "Preço" dá bem a medida de como, a partir de uma situação de separação absoluta do amado, a moça vai vagarosamente trazendo-o para si. Essa primeira parte do romance é composta de treze capítulos. Começa num primeiro capítulo em que a distância do par amoroso é tal, que sequer há referência direta a ele. Nos seis capítulos iniciais, a separação se manifesta até no modo estanque de divisão dos capítulos que falam de Aurélia – do primeiro ao quarto – e os que nos apresentam a Seixas – do quinto ao sétimo.

O sétimo capítulo é o intermediário dos treze e representa um momento de equilíbrio entre as forças de atração de Aurélia e as de resistência, de Seixas. Nele, o tutor apresenta a proposta da sobrinha ao rapaz que, entretanto, recusa. Ao mesmo tempo, nas escadarias do teatro, Aurélia avança em sua direção enquanto ele recua. A repulsa de Seixas é, porém, espontânea. O movimento de avanço da moça, ao contrário, é calculado para dar início a seu projeto. Nas escadarias, ela avança somente para insinuar sua presença; em seguida, some no interior do teatro. A tática da mulher – como a da narrativa – é elíptica e espasmódica: avanços e recuos imprimem à sedução seu ritmo próprio. Do capítulo oitavo em diante, a atração vai sobrepujando a repulsa até culminar na primeira metade da cena nupcial, final de "Preço".

A temática do voyeurismo, que vem sendo enfatizada neste trabalho, tomará na primeira parte o aspecto oposto: a cegueira edípica de Seixas. Como se o processo de conhecimento da verdade começasse de um ponto zero: a cegueira total. O leitor estará assistindo ao espetáculo dessa cegueira quando verificar, por exemplo, que a aguda aversão do moço por Aurélia leva-o a aceitar a noiva desconhecida que é Aurélia. A comparação com Édipo é literal: "Como na fábula antiga, a esfinge o estupidava"[39]. Entretanto, há entre ambos uma diferença fundamental. Édipo parte em busca da verdade que a Esfinge lhe apresentara de modo cifrado[40]. Em *Senhora*, é a mulher-esfinge que sai em busca do Édipo que a decifre. É o inverso do que ocorre nos demais "perfis", em *Cinco Minutos* e em *A Pata da Gazela*, nos quais é o homem quem busca a verdade da mulher. Aurélia, ao contrário, é a mulher que propositalmente se coloca como enigma à frente do homem para induzi-lo a desejar interpretá-la. A veemência com que Paulo e Amaral se põem a decifrar as esfinges que amam, dá lugar, em Seixas, a um tímida chama de anseio por esclarecimento. É que *Senhora* supõe que o desejo férvido passe a habitar o coração do leitor. Seixas é somente a pálida cópia – novamente a cópia – do que deve ser o leitor ardoroso que tem em mãos o romance – esse obscuro objeto do desejo.

Compreende-se, então, a modificação no papel do leitor, dos romances anteriores para *Senhora*. Aqui, Seixas funciona internamente como vigário do leitor a quem a narrativa se dirige. Nós, como Seixas, tateamos às cegas pelo relato, apreendendo sempre e de cada vez verdades apenas parciais. Se antes aceitamos a idéia da analogia entre a mulher e a narrativa; e agora, a semelhança de papéis entre Seixas e o leitor, veremos qual deve ser o modo de atuação da narrativa com relação a seu destinatário: pôr-se à frente deste, ostentando-se como brilhante e obscuro ser secreto, para despertar nosso desejo de decifração.

Como Édipo, Seixas "diz sempre o contrário do que pensa estar dizendo e faz o contrário do que imagina estar fazendo"[41]. Antes do casamento, pensa seduzir

---

39. *Idem*, p. 260.
40. A interpretação é de Marilena Chauí. Cf. *Repressão Sexual*, pp. 62-63.
41. *Repressão Sexual*, p. 60.

Aurélia com frases galantes, nas horas de visita. Depois de casado, gastará um bom tempo demonstrando à mulher que um homem digno não se vende e que sua convivência é impossível. Aqui como lá, Aurélia escuta e, ou se cala, ou retruca com ironia. Em ambos os casos sabe que é sua a vitória final. É que a sedução da mulher, artista criadora, não se compõe de fórmulas feitas, próprias do artista copiador que é Seixas.

Num primeiro momento, Aurélia se oculta atrás do tio para manipular os cordéis através dos quais deixará Seixas sem outra saída senão casar-se. Aurélia e Lemos, já o vimos, assemelham-se na capacidade de dissimulação e cálculo. Ambos sabem tirar perfeito proveito do poder dos olhos. Na visita a Seixas, Lemos trata de tapá-los muito bem, pois são "as janelas da alma". Daí exibir sem pejo um par de óculos verdes. Pelos olhos – mais do que a fisionomia – Lemos poderia pôr a nu suas intenções. Do mesmo modo como a sobrinha, o tio vigia na fisionomia do moço o efeito provocado por seu gesto espetaculoso: a apresentação de uma carta de recomendação assinada por um comendador. Assim como a moça se esconde atrás do anonimato, Lemos usa um falso nome que lhe calha bem pois é quase igual ao verdadeiro: Ramos[42]. A revelação do nome só ocorre no exato momento em que Seixas já se encontra amarrado a outro engano: julgar que a Aurélia rica, a quem se apresentara como pretendente, é a mesma que conhecera pobre. É labiríntica a senda que se desenha diante do rapaz: Ramos é, na verdade, Lemos que é, na verdade, Aurélia.

Outro exemplo mostra a semelhança das estratégias de tio e sobrinha. Falando a Seixas em tom dúbio de brincadeira, Lemos chama-o de "maganão"[43], referência sutil à situação em que o moço passa por espertalhão, em vias de aplicar um grande golpe do baú. De modo que, para melhor enganar, Lemos monta um cenário onde quem engana é Seixas, aceitando o casamento com vistas ao interesse pecuniário. Aurélia submete o amado a um aprendizado que, mais que duro, é dúbio: para tirá-lo do mundo do engano, fala a linguagem do engano. Tortuoso caminho, que leva entretanto ao ponto certo.

---

42. Cf. *Senhora*, pp. 204-205.
43. *Senhora*, pp. 215, 218, 220.

Cúmplice de Aurélia e Lemos no jogo de meias verdades que confundem Seixas e o leitor, o narrador contribui também com suas artimanhas. E uma delas consiste em fazer do processo comunicativo um sistemático mecanismo de triangulação. Por exemplo, enquanto Lemos se diverte pregando sustos em Seixas a respeito da verdadeira identidade da futura noiva, o narrador observa que ele "não prestava atenção às facécias do velho"[44]. Ou seja, se as "facécias do velho" não atingem Seixas, seu alvo é o leitor, ele sim atento ao que lê. A mensagem, dirigida aparentemente a um receptor determinado, sofre um desvio calculado para atingir um terceiro elemento, posto à margem do circuito de comunicação, mas que é seu destinatário real. Um diálogo entre Aurélia e Adelaide ilustra bem esse mecanismo.

Antes da revelação da identidade da noiva, Seixas numa reunião tenta em vão fugir da penosa presença de Aurélia. Topando repentinamente com ela, que vinha ao braço de Torquato Ribeiro, ele não tem como deixar de ouvir a conversa que Aurélia entabula com Adelaide, de braço com Alfredo Moreira. A primeira propõe à segunda uma troca de pares. Adelaide hesita, mas termina por aceitar, instada por Aurélia que então lhe diz: "— Esta troca é paga da outra que fizemos, ou que fizeram por nós; ouviu D. Adelaide?"[45] A fala é acompanhada de um "riso argentino" e de um "olhar sarcástico e imperioso" dirigido a Seixas. O rapaz compreende ser ele mesmo o destinatário real da frase, aparentemente dirigida a Adelaide; e por isso foge desesperado.

Na cena de apresentação do pretendente, Aurélia recorre a outro expediente que visa a manter sob controle a reação que ela própria desencadeara no rapaz com sua entrada. Após o impacto da descoberta da identidade da mulher, Seixas se retira para um vão de janela para refletir sobre o sucedido, tornando inteligível a aparição fantástica que pouco antes o deslumbrara. É sua primeira tentativa de desfazer o mistério que o envolve, remontando-lhe à causa. Aurélia aproxima-se dele "a pretexto de olhar para o céu"[46]. O olhar dissimula a

44. *Idem*, p. 215.
45. *Idem*, p. 214.
46. *Idem*, p. 218.

verdadeira intenção que é impedi-lo de atinar por conta própria com aquilo que deve ser descoberto aos poucos e sob controle.

O diálogo entre ambos é iniciado e mantido por insistência da moça, pois o rapaz está taciturno. Junto com a presença física, as palavras de Aurélia cumprem a função de preencher um silêncio que talvez pusesse em risco o bom andamento do plano. Abandonado à própria reflexão, Seixas poderia descobrir algo mais, além do previsto para o momento.

Aurélia procura manter um tom agradável para não deixar morrer a conversa, temendo a reflexão de Seixas. O narrador sublinha os sorrisos com que ela acompanha suas frases dúbias. O rapaz reflete e interroga, a moça elude as respostas, devolvendo-lhe outras perguntas. Num esforço máximo de compreensão, ele vai ao cerne da questão: o passado. É o único momento em que, descontrolando-se, Aurélia exclama rispidamente: "Não falemos do passado!" Temperando a dureza da ordem com o "meigo sorriso" – fazendo da boca o mesmo local de onde brotam os opostos que confundem – a moça decreta como serão suas relações daí para a frente: "– Nosso conhecimento data de hoje, Sr. Seixas. Os mortos, deixemo-los dormir em paz". Ainda não é hora de desenterrar esses mortos. Nem cabe a Seixas – ou ao leitor – decidir o tempo da verdade, mas à mulher-narrativa que planeja cada uma das revelações a fazer.

Recapitulando: numa primeira etapa, até o capítulo X, Aurélia encarrega o tutor de pôr em prática a parte inicial do plano: fazer Seixas aceitar o casamento com uma desconhecida. Revela-se, então, a identidade da noiva mas continuam ocultos seus desígnios, que só aparecerão plenamente durante o colóquio na câmara nupcial. Desvendando a Seixas o segredo da noiva, o capítulo X significa uma primeira culminância na seqüência narrativa que, a seguir, entra em declínio. E não só porque agora os encontros dos noivos se ajustam à monotonia da cotidianeidade, mas sobretudo porque essa linha descendente marca o tempo fraco que no esquema rítmico narrativo prepara o advento do tempo forte do encontro na câmara nupcial.

Recomeçam, então os truques para fazer crer que tudo se encaminha para a normalização:

A maneira afável por que a moça o tratava tinha, se não desvanecido completamente, ao menos embotado, as suscetibilidades de sua consciência acerca do ajuste que fizera com Lemos. Não que se absolvesse de culpa; mas esperava remi-la pelo amor[47].

Entretanto, quando logo depois Seixas pede a Lemos explicações sobre o motivo determinante de sua escolha como futuro marido, obtém em resposta: "Não faço mistério, não me convinha que a pequena se deixasse iludir pelas lábias de um desses bigodinhos que lhe andam ao faro do dote"[48] – argumento verossímil para o rapaz mas não para o leitor, posto num outro nível do enigma. Desse modo, o engano da personagem espelhisticamente proporciona ao leitor a visão da ilusão de que ele próprio está sendo vítima.

É curioso, aliás, o jogo dúbio entre ilusão e desmascaramento que se vai armando do começo ao fim do romance. Antes do casamento, Seixas concorda em apressar a conclusão do acordo para aplacar sua consciência pois "temia a cada instante ver dissipada a doce ilusão com que sua alma disfarçava a transação por ele aceita"[49]. Aurélia, através do tio, também tem pressa em realizar o casamento, mas pelo motivo oposto: desmascarar a farsa matrimonial. Aqui, Seixas deseja a ilusão, Aurélia recusa-a. Depois do casamento será o contrário. Aurélia desejará a ilusão do ajuste entre o homem-real e aquele que imaginara. Seixas então recusará a ilusão, desmascarando-se como marido postiço.

No final do capítulo XIII, chega-se ao apogeu do jogo de sugestões que preparam o leitor e Seixas, para uma vertiginosa desilusão. Antes do encontro na câmara nupcial, o narrador arma o útimo engano:

A formosa moça trocara seu vestuário de noiva por esse outro que bem se podia chamar trajo de esposa; pois os suaves emblemas da pureza imaculada, de que a virgem se reveste quando caminha para o altar, já se desfolhavam como as pétalas da flor no outono, deixando entrever as castas primícias do santo amor conjugal[50].

47. *Idem*, p. 219.
48. *Idem*, p. 220.
49. *Idem*, p. 220.
50. *Idem*, pp. 226-227.

A promessa de primícias de amor conjugal é só truque: não haverá consumação. A heroína compactua com a farsa até o instante final. No diálogo que mantém a sós com o marido, insiste para que ele jure um eterno e verdadeiro amor, antes de lhe desnudar o fingimento.

Ao final da primeira parte há um fato que merece destaque por sua importância para a economia narrativa: a cerimônia do testamento da heroína, que se segue à do casamento. Entre ambas, algumas semelhanças e outras tantas diferenças. O que as assemelha fundamentalmente é o fato estranho de ocorrerem quase ao mesmo tempo. Entretanto, o casamento, oficializado perante uma "sociedade escolhida", é ato revelado. Aberto aos convidados e familiares do noivo, realiza-se no salão da casa e é animado por quadrilhas improvisadas.

O testamento é ato secreto. Não tinham conhecimento prévio dele nem mesmo os cinco negociantes que Lemos convocara por testemunhas. Não tínhamos conhecimento dele nós, leitores. A rigor, somente sua arquiteta e o executante o conheciam. O casamento se celebrara no salão em presença de ambos os noivos. O testamento se realiza no espaço reservado da saleta e na ausência do noivo. O caráter crepuscular da última cerimônia não se manifesta somente no cinzento da peliça com a qual a testadora oculta o traje nupcial. Também no empalidecer da auréola de júbilo que, na primeira cerimônia, cingia a fronte da noiva. Nela, aliás "percebia-se (...) um eclipse da luz íntima, como o vágado de uma lâmpada a apagar-se"[51].

Do momento em que se oficializa o testamento, até o último capítulo do romance, seu conteúdo – a última vontade de Aurélia – assumirá para o leitor o papel de grande enigma a pairar por sobre os acontecimentos. De certo modo, o testamento projeta sobre os sucessos futuros sua sombra mortal. É a vida iniciada no matrimônio sendo espreitada por uma morte entretanto envolvida em torçal de seda com pingos de lacre dourado. Ao mesmo tempo e ambiguamente, aquilo que para Aurélia é o desviver do matrimônio não consumado se transformará em vida, através do testamento que ela revelará no último capítulo.

---

51. *Idem*, p. 225.

Somente nós, leitores, além dos comerciantes e de D. Firmina, testemunhamos o testamento. Dessa forma, assim como até o capítulo IX conhecíamos a identidade da noiva mas não seus desígnios, enquanto Seixas ignorava ambos os fatos; agora também, a partir da cerimônia de testamento, sabemos de sua existência mas não de seus desígnios, enquanto Seixas ignora a ambos.

Celebrando ao mesmo tempo as duas cerimônias, Aurélia demonstra seu poder tanto sobre o próprio destino, quanto sobre o do noivo. Quando pobre, ela prefigurara esse poder através de um dito popular: "– Casamento e mortalha no céu se talham"[52]. A mulher feita deusa graças à posse do deus-demônio dinheiro, talharia depois, com suas mãos, seu casamento e sua mortalha. Unindo-os, ela perfaz antecipadamente o caminho a percorrer, apresa o futuro (testamento, morte) no presente (casamento, vida). Faz de ambos uma temporalidade única aberta para todos os possíveis: o casamento – que é vida – pode ser morte quando não consumado; o testamento – que é morte – pode ser vida ao garantir a permanência do amado.

Mais do que ligar duas pontas, "a aurora da existência e sua despedida"[53], a união de casamento e testamento faz de amor e morte, verso e reverso da mesma moeda. Assim Aurélia os entende. Por isso pensa que após a revelação da noite de casamento, só haveria para Seixas duas saídas: matar-se a si ou a ela; ou então suplicar-lhe o perdão, para que ela se entregasse a ele. Acreditava ser aquele o "casamento póstumo de um amor extinto", o "esplêndido funeral, em face do qual Seixas devia sentir-se mesquinho e ridículo, como em face da essa o soberbo compenetra-se da miséria humana"[54]. O vínculo entre amor e morte se faz pelo sentimento de posse que, ao capturar o objeto amado, torna possível a plenitude do desejo que é também tirania. Assim, no processo em que a mulher-Pigmalião esculpe o marido-estátua que seu imaginário intuíra, fundem-se Eros e Thanatos. Para dar vida ao marido imaginado é

---

52. *Idem*, p. 235.
53. *Idem*, p. 225.
54. *Idem*, p. 290.

preciso capturar e matar o homem real. A arte captura a realidade quando a cristaliza como imagem.

Outro aspecto deve ser considerado como decorrência da oficialização do testamento antes do início da vida conjugal. Nos onze meses em que Aurélia e Seixas encenam a farsa do casamento, sua relação tensa e instável está sempre em vias de ruptura. No primeiro bloco narrativo, os desígnios de Aurélia se cumprem de modo preciso porque visam a um objetivo claro: constranger Seixas ao casamento. No segundo bloco, as intenções são mais obscuras porque já não existe um objetivo único a atingir, movendo-se a narrativa no limiar entre a consumação e a dissolução definitiva do matrimônio. Ciente de sua situação, Seixas possui, nesse segundo momento, uma margem de deliberação que inexistia anteriormente, dada sua cegueira total, e que agora usa reagindo às investidas da mulher. Essa, por seu lado, demonstra hesitações e dúvidas que não tinha antes. A rigor, porém, tanto a independência do marido quanto o titubeio da mulher não passam de mais um truque, já que a antecipação do testamento garante àquela o trunfo final.

No capítulo XIII, antes de continuar a narração dos fatos decisivos que estão por vir, o narrador entra a descrever a câmara nupcial, cenário daqueles fatos. Em primeiro lugar, essa descrição cumpre a função de aumentar, pelo suspense, a voltagem da expectativa do leitor, pois interrompe o curso dos acontecimentos no instante que antecede o encontro do casal, enfim sós... No entanto, como sucede outras vezes durante o romance, a descrição serve também para criar uma ambiência de evocação, em que os objetos reforçam sentimentos e atitudes das personagens. A poética espacial torna significantes não só a arquitetura da casa como também cada um dos objetos. Não se trata de uma significação que visa somente a causar impressão de realidade, mas sobretudo a reproduzir em outros códigos o drama vivido pelas personagens.

Os bastidores são o espaço que o narrador reserva, algumas vezes, para a espiadela indiscreta do leitor. É o que sucede na descrição da câmara nupcial: a platéia interna não a vê; nós, sim. Trata-se de manifesta indiscrição. Olhamos – e profanamos – algo que deveria ser vedado aos olhos – e sacralizado. No entanto, se nos é permitido ver a câmara nupcial, tornada palco de um espetáculo, é somente porque dela estará ausente o amor. Quando a cena se repetir no fim do romance, as pesadas cortinas de fim de espetáculo ocultarão o desnudamento do corpo.

O quarto é descrito como cenário, percebido antes na sua totalidade: formato e cores dominantes. Em seguida, percebe-se cada um dos dois segmentos que o constituem, o lado da lareira e o da cama, descrita como objeto semi-oculto e recatado:

> Por entre a diáfana limpidez dessas nuvens de linho, percebe-se o molde elegante de uma cama de pau-cetim pudicamente envolta em seus véus nupciais[55].

Há analogia entre essa descrição e as do vestuário feminino — ele também sempre diáfano o suficiente para insinuar ao olhar curioso um vulto que a imaginação deve completar.

Confirmando o fingimento generalizado dos atores, a lareira é falsa pois funciona como jardineira, servindo de pretexto para a conversa a dois. Signo da intimidade conjugal que antecede o ato amoroso, o canto da lareira é mobiliado pelas "poltronas baixas e derreadas, transição entre a cadeira e o leito". A bipartição da câmara nupcial em dois espaços, o da palavra e o do ato de amor, mostra o caráter preambular da palavra amorosa. De fato, logo depois da descrição, Seixas — ignorando ainda sua situação — modulará perante a mulher uma fala caracterizada pelo narrador "como o canto do amor, e por isso não carece da idéia, mas somente do vocábulo sonoro, para embalar o coração aos suaves arpejos dessa música[56]." A palavra narrativa, como a de amor, é preambular: ali onde ela finda, começa a vida. No fim do romance, as cortinas se fecham para que o par romântico viva o amor. O verbo é vicário; na ausência do falo, a fala. Isso explica porque o segundo bloco narrativo é feito maciçamente de diálogos entre o casal. A palavra substitui o ato interditado.

A segunda parte, "Quitação", opera uma ruptura brusca no momento culminante dos acontecimentos do

---

55. *Idem*, p. 226.
56. *Idem*, p. 219.

presente da riqueza. O percurso elíptico da narrativa, que arrastara os acontecimentos da primeira parte em direção à câmara nupcial, se completa no início da segunda pelo súbito afastamento, não só da câmara – como espaço focal – mas também do tempo presente, ao qual pertence aquele espaço.

O corte na temporalidade dramática presente tira-nos de repente do calor da crise criada pela palavra desnudadora, e nos lança no frio de uma distância temporal de mais de dezoito anos. A segunda parte percorre os acontecimentos do passado até reatar o nó com a cronologia dos fatos que abrem o romance. Isso se dá no penúltimo capítulo de "Quitação". No último capítulo, voltamos à câmara nupcial onde assistiremos ao segundo momento do encontro do casal, que manifesta, na sua constituição fragmentária, a natureza necessariamente cindida do amor profanado pelo mercado.

A voz narrativa desta parte é diferente da que encontráramos na primeira. Aqui predomina o narrador que conta fatos distantes sobre os quais tem pleno domínio. Dos nove capítulos de que se compõe a segunda parte, sete cobrem a cronologia do passado da pobreza. Não só o passado de Aurélia mas, antes dele, o de seus pais. As informações aí contidas têm o papel de esclarecer a situação estranha arquitetada pela heroína na primeira parte e que culmina no encontro na câmara.

Já observei que a técnica usada na narrativa é a de fornecer primeiro a situação como dado para depois remontar às causas que lhe dão concretude. É o que sucederá adiante, no capítulo VIII da terceira parte, quando o narrador, retrocedendo sete capítulos, explicar o que sucedera a Aurélia na noite de seu casamento. Essa técnica, aliás bastante comum nas ficções de suspense, tem em *Senhora* pelo menos um aspecto curiosos a observar. O fato de que dados do passado sejam encartados em momentos precisos da temporalidade presente, rompendo a sucessão cronológica linear, é indício do poder de arbítrio do narrador sobre a narrativa que organiza. Só que nosso narrador, como vimos, dissimula de várias formas seu poder absoluto. Seja dizendo que a "história é verdadeira" e que "o suposto autor não passa rigorosamente de editor"; seja fingindo ignorância a respeito do que se passa na cabeça de suas personagens etc... Procedimentos de ocultação que convivem o tempo todo com o que os desmascara. A analogia entre o narrador e sua heroína diz respeito também ao poder de arbítrio sobre passado, presente e futuro.

No primeiro bloco narrativo, Aurélia controla rigorosamente os passos de Seixas na senda da paulatina descoberta das determinações de sua situação. Advém desse controle absoluto a forma como ela impõe ao noivo que considere o passado como algo morto. No momento mais conveniente para o andamento de seu plano, ela própria reavivará esse passado. Seu poder de arbítrio sobre o tempo se manifesta em outros momentos. No capítulo X da terceira parte, querendo recuperar no marido a fisionomia do Seixas do passado pobre, para que assim o retratasse o pintor, Aurélia recupera primeiro nela própria a expressão da menina de Santa Teresa para proporcionar temporariamente ao marido a ilusão de uma volta ao passado. O ardil é bem sucedido. Seixas, ciente embora do caráter passageiro e ilusório da doce intimidade que se instalara entre ambos, ostenta ao pintor a "fisionomia de outrora, quando a subversão de existência ainda não o tinha revestido de gravidade melancólica"[57].

No último capítulo do romance, após receber do marido a soma correspondente a seu resgate, ela lhe diz: "– O passado está extinto. Estes onze meses, não fomos nós que os vivemos, mas aqueles que se acabam de separar, e para sempre"[58]. Aquilo que fora o presente do casamento conflituoso; aquele mesmo presente do amor profano que ela recusara dizendo para si mesma na câmara nupcial: "– Não! (...) Seria a profanação deste santo amor que foi e será toda a minha vida!"[59] – declaração que mostra bem que o amor sagrado se encontra no passado ("foi") e no futuro ("será") mas não no presente; esse mesmo presente se torna, por obra e graça do decreto da mulher, um passado extinto. Entretanto, alguém mais possui essa capacidade de arbítrio: o avô de Aurélia que tem condão de transformar o passado da pobreza em presente da riqueza.

---

57. *Idem*, p. 298.
58. *Idem*, p. 338.
59. *Idem*, p. 227.

Em seu estudo *Ao Vencedor as Batatas*, Roberto Schwarz aponta em *Senhora* a coexistência de dois padrões de moralidade. Um, que o autor considera como de empréstimo à ficção balzaqueana, vincula-se ao círculo restrito da mocidade casadoura do Rio. A ele pertencem as heroínas dos romances urbanos de Alencar. Outro padrão de moralidade concerne ao mundo patriarcal encarnado, sobretudo, pelo avô de Aurélia[60]. De fato, a diferença entre o tempo da pobreza e o da riqueza não é só cronológica, mas principalmente axiológica. A temporalidade passada é sobretudo a do modo patriarcal de organização social. O que não impede que no presente da riqueza figurem aqueles que balizam sua conduta pela moral fortemente conservadora do patriarcalismo.

Já observei que Aurélia herda do avô não só a determinação do caráter como o capricho das atitudes aparentemente sem lógica ou regidas por uma lógica que só ela conhece. Mostrei também que o capricho deita raízes num tipo de organização social em que a autoridade não presta contas de seus atos a ninguém[61]. Com base nesses dados, creio possível pensar que o romance *Senhora*, trabalhando a relação entre capricho e cálculo como elementos que caracterizam tanto a heroína como a técnica dominante do relato, de algum modo reflete sua origem social. Vivendo-se embora uma incipiente sociedade de mercado, regida pelo cálculo – a razão burguesa desse minúsculo Brasil da Corte fluminense, que arremedava a sociedade francesa e brincava de emancipação – a todo momento convivia-se com o capricho de uma ordem na qual a última palavra cabia ao dono do poder, fosse ele o pai, o patriarca ou o Imperador. Há certo tom de despotismo disfarçado no narrador que nos diz no início do romance: "Dizia-se muita coisa que não repetirei agora, pois a seu tempo saberemos a verdade". Tão disfarçado quanto o do pai de Guida, que a deixa brincar de emancipada... enquanto o marido não vem.

---

60. Cf. *Ao Vencedor as Batatas*, pp. 36-37.

61. Na ficção urbana de Alencar é comum a comparação entre a tutela paterna e a do Imperador, visto como pai da nação. Há ainda referências freqüentes à mulher rica e caprichosa ou à moda, como "soberanas". Nesses casos, sugere-se a idéia de um poder absoluto e insondável dando base a uma relação de tipo tirânico.

Ou como o pai de Amélia, que lhe permite escolher marido, reservando-se porém o direto de veto em última instância.

O calculado exagero teatral de Aurélia não seria uma forma de figurar o ridículo arremedo de sociedade burguesa que era a Corte carioca? Não estará essa grande dama, sem dúvida inconveniente mas nem um pouco boboca, denunciando nela própria, nos seus trejeitos arranjados – ela que por trás da retórica de igualdade e liberdade deixa entrever o desejo de tirania despótica – a comédia da sociedade liberal representada em plena selva americana?

Em *Senhora* existe, além da separação entre passado e presente como cronologias distintas, uma separação entre a temporalidade sagrada por oposição à temporalidade profana. Há certa correspondência entre o presente da riqueza e a temporalidade profana, por um lado; e o passado pobre e a temporalidade sagrada, por outro. Não se trata de correspondência estrita. De tal modo que, na cronologia do passado da pobreza, Aurélia é obrigada a profanar sua pessoa ao abrir a janela dando-se em espetáculo aos olhares ardentes dos cortejadores. Da mesma forma, no presente da riqueza, que é o tempo da profanação do sentimento, irrompem os momentos de sonho – aqueles em que Aurélia vive com o amado ideal – e que recuperam no presente a sacralidade do amor imaginado pela moça. No segundo bloco narrativo, a trajetória elíptica de Aurélia se faz também em momentos de aproximação da temporalidade profana, do presente degradado, do marido real, da sociedade do fingimento – e momentos em que ela, afastando-se dessa exterioridade, encerra-se em seus aposentos, na sua interioridade, em seu sonho, ausentando-se do mundo para viver com o marido do retrato.

Essas duas temporalidades conflitantes compõem uma situação em que o tempo da degradação deve ser anulado para que se erija finalmente um presente que recupere no futuro o passado, e os funda num tempo indissociado, mítico, sagrado. O caráter sem dúvida retrógrado dessa visão está em que o tempo sagrado é visto como aquele em que as janelas da Casa-Grande estavam fechadas para o olhar masculino que erotizaria as donzelas, ao fazer delas objeto de desejo. Ao mesmo tempo e ambiguamente, é a existência desse olhar que profana e torna pública a mulher, o que torna possível também o romance que publica a estória dessa profanação.

Octávio Paz elucida um aspecto importante dessa questão quando diz que

> ironia e analogia são irreconciliáveis. A primeira é filha do tempo linear, sucessivo e irrepetível; a segunda é a manifestação do tempo cíclico: o futuro está no passado e ambos estão no presente. A analogia se insere no tempo do mito, e mais: é seu fundamento; a ironia pertence ao tempo histórico, é a conseqüência (e a consciência) da história. (...) A analogia é a metáfora na qual a alteridade se sonha unidade e a diferença se projeta ilusoriamente como identidade (...) a ironia é a ferida pela qual a analogia se dessangra[62].

Em *Senhora*, a coexistência de ironia e analogia constitui o paradoxo de base: o desejo da integridade, a consciência da fragmentação; a busca da fusão com o amado imaginado, a dura convivência com a alteridade do homem real que desdiz o ídolo. Não se trata somente de ironia e analogia como figuras de retórica abundantes no texto. Mas sobretudo da oposição apontada acima entre o tempo sagrado, da analogia e o tempo histórico, da ironia – a temporalidade banal do cotidiano do casamento profanado que se arrasta numa enfiada de ações exteriores e sem sentido.

O tempo da ironia dá o corpo do relato ao compor o drama do amor conspurcado. No entanto, só ganha sentido ao ser referido ao outro: o da mulher antes de abrir sua janela, o do casal depois de cerradas as cortinas do leito/relato. Para atar num giro elíptico o passado do amor sem mácula, ao futuro da consumação do matrimônio ressacralizado, constrói-se, paralelamente ao presente real da degradação, um presente imaginário, da recordação do passado e antevisão do futuro.

Como substituto da palavra ríspida e irônica que dirige ao marido real, Aurélia sonha um presente onde domina a analogia. Imaginando o momento de sua entrega a Seixas, ela manda confeccionar dois conjuntos de chaves idênticos, de modo que cada um possuísse as chaves dos aposentos e móveis próprios e do outro. Analógico é o presente imaginário em que a moça se

---

62. *Apud* CAMPOS, H. "Poesia e Modernidade: Da Morte da Arte à Constelação", *Folha de S. Paulo (Folhetim)*, 7 de outubro de 1984. A citação de Octavio Paz foi extraída de *Los Hijos del Limo*, 1972.

relaciona com o simulacro do marido. No momento em que fala com o amado dos sonhos, a palavra irônica dá lugar à palavra terna de entrega total: "– Aqui estão as chaves de minha alma e de minha vida. Eu te pertenço; fiz-te meu senhor"[63]. No tempo analógico, que é mítico, toda transformação se dá como metamorfose. Aurélia, habitando o tempo das metamorfoses, está em contínuo cambiamento cíclico. Para seu caráter não há mudança em sentido histórico. A súbita herança opera nela "rápida transformação" que entretanto "não foi (...) no caráter, nem nos sentimentos (...) estes eram inalteráveis (...) a mudança consumou-se apenas na atitude (...) dessa alma perante a sociedade"[64]. O que muda nela é sua relação com o mundo. A metamorfose se dá na aparência exterior que projeta.

Totalmente diversa é a situação de Seixas. Habitante do mundo profano do amor-galantaria, da sociedade de mercado, do tempo histórico, ele sim sofrerá uma transformação que se dará como reeducação. Ao final do processo, haverá a marca da irreversibilidade histórica; sua interioridade estará alterada. Ao contrário, a mudança final de Aurélia, confessando-se escrava depois de ter sido senhora, será somente a retomada do instante passado em que seus olhos encontraram os daquele em quem ela reconhecera seu senhor.

O paulatino enobrecimento do caráter de Seixas começa com a exibição do oposto. Ao invés de se revoltar contra sua condição de mercadoria, ostenta um máximo de aviltamento ao assumir integralmente aquele papel: "– O escravo entra em serviço"[65], diz ele. E desde então sua atitude será de recusa total do mundo da mulher. Diferentemente do que ocorria antes, o rapaz disporá agora de uma margem de arbítrio que o fará tomar a única atitude pela qual a moça não esperava. O universo do Seixas real nada tem a ver com o de Aurélia. Sedenta de drama, isto é, de ação, ela se vê diante de um homem que se recusa a agir. Lembremo-nos de que o modelo literário confesso da heroína é Shakespeare: "No dia do casamento, sua imaginação exaltada

---

63. *Senhora*, p. 278.
64. *Idem*, p. 253.
65. *Idem*, p. 258.

chegou a sonhar uma morte semelhante à de Desdêmona"[66]. Ela, que pretende desenganar o marido a respeito dos valores da sociedade de mercado, oscila constantemente entre o desejo de ser enganada por ele e o medo de que isso ocorra. Esperando que o marido seja igual a ela, deseja-o capaz dos mesmos ilusionismos. Como, no entanto, seus mundos são irredutíveis, a moça deve trabalhar com a natureza bifacetada do amor-violência, para chegar ao ideal desejado. O processo de reeducação põe a nu a natureza do amor como destruição da alteridade do outro em busca da ilusão de unidade.

Aceitando a alienação de seu corpo, Seixas faz dele um puro objeto, a máquina que se move a partir de comandos exteriores. Do começo ao fim de sua convivência com a mulher, ele passará num contínuo recalcamento de sua humanidade – sentimentos e desejos – para se deixar existir apenas como carcaça. Em decorrência, o tempo do casamento não consumado, esvaziado do sentido de interioridade se esgarçará em horas que se arrastam: a narração do primeiro dia de casamento ocupa quase três capítulos. O casal, junto a D. Firmina, nada mais faz do que procurar simulacros de motivos que justifiquem a existência puramente exterior. São inúmeras as referências à lentidão do passar das horas. O relógio é consultado várias vezes com ansiedade pois se torna difícil dar sentido à convivência de aparato. A refeição, ao menos, fornece pretexto para a ação e algum mote à conversação. Fora disso o mal-estar causado pela situação leva o casal a se agarrar a ninharias que os salvem do "horror vacui": conversa-se sobre banalidades, percorre-se com a vista cada um dos objetos do ambiente, folheiam-se livros e álbuns de fotografia. Até que o relógio, de novo, os alivie do suplício pelo anúncio de outra refeição[67].

66. *Idem*, pp. 325-326.
67. O relógio, símbolo do caráter mecânico das ações na sociedade burguesa, é imagem importante em *Cinco Minutos*. O título se refere ao atraso do narrador que, por cinco minutos, perde o ônibus de Andaraí. No carro seguinte encontra a dama misteriosa cuja busca dá a matéria do relato. A propósito, o narrador esclarece: "...entre os meus imensos defeitos e as minhas poucas qualidades, não conto a *pontualidade*, essa virtude dos reis, e esse mau costume dos ingleses./ Entusiasta da liberdade, não posso admitir de modo algum que um homem se escravize ao seu relógio e regule as suas ações pelo movimento de uma pequena agulha de aço ou pelas oscilações de uma pêndula" (*Cinco Minutos*, p. 3).

Interditada a consumação do matrimônio, a relação entre marido e mulher terá o mesmo caráter postiço da que existe entre a moça e seus pais. O casamento vira representação, máscara de uma união inexistente. Se antes apenas a mulher representava, agora haverá em cena mais um ator: o marido. E Seixas desempenha seu papel como quem trabalha: falas monótonas, temas banais, pausas calculadas. Um ritmo alheio a ele próprio, já que ditado pelas necessidades da produção – aqui, encenação. A inversão de papéis que existira no primeiro bloco narrativo, de modo disfarçado, será agora ostensiva. Determinado à mais estrita obediência passiva, o marido limita suas ações ao mínimo necessário para manter o decoro do cargo. Aurélia, ao contrário, alardeia uma exuberância reproduzida por todos os objetos da casa.

Após o casamento, a tática de sedução aparece como apelo direto dos sentidos. A visualidade do ambiente e objetos é enfatizada. Aponta-se o luxo do mobiliário das salas, da mesma forma como sucedera com relação aos aposentos que a mulher preparara para o marido. Trata-se de ostentação que tem o objetivo claro da tentação. Na sala de refeições os cristais reverberam raios de luz, há finas porcelanas e frutas de várias cores sobre bandejas de prata. Assim como os objetos de adorno ali se exibem para tentar os olhos, a mesa ostentará iguarias delicadas para tentar a boca. Olhos e boca, fontes de sensações ora complementares, ora opostas, funcionam aqui para lembrar o interdito sexual. Através da dimensão erótica do ato de comer, elabora-se a substituição da sexualidade proibida. Os vinhos importados, na mesa do lanche, "estavam ali tentando o paladar"[68]. Aurélia, servindo o marido, oferece: "– Aqui tem; um figo e uma pera; é apenas um casal".

Como antes, enquanto Aurélia ataca, Seixas recua. À mesa de refeição, a mulher declara sentir "uma fome devoradora", enquanto o homem se diz sem apetite. Este, ao comer, exerce movimentos mecânicos; aquela, ao fazê-lo, enfatiza a sensualidade. Primeiro, "trincando nos alvos dentes a polpa vermelha de uma lagosta"[69];

---

68. *Idem*, p. 268.
69. *Idem*, p. 265.

depois, esmagando "entre os lábios purpurinos bagos de uva moscatel"[70]. Ativa e dominadora, a mulher exerce violência sobre o objeto de sensualidade: trinca ou esmaga. Sua violência velada se deixa entrever nos gestos cotidianos aparentemente banais que acompanham seu convívio com o marido. Aqui esmaga uma flor, durante um ríspido diálogo. Lá estraçalha a tapeçaria que Seixas recebera de Adelaide.

A violência subjacente à noção de amor tal como a entende Aurélia, não se restringe à organização social patriarcal, embora esta a exacerbe. Há por um lado o fato de que tal concepção de amor tem, na ficção urbana de Alencar, a chancela de único amor autêntico. Implica sempre numa relação de alienação do amado ao amante e vice-versa, além de adquirir, não poucas vezes, a dimensão mórbida da autodestruição[71].

Mas, repito, essa concepção de amor não se restringe ao universo do patriarcalismo. Segundo Georges Bataille, a violência estaria na base de toda relação de amor:

> O domínio do erotismo está condenado, sem escapatória, ao fingimento. O objeto que provoca o movimento de Eros simula ser algo que não é. De tal sorte que, em matéria de erotismo, são os ascetas que têm razão. Eles dizem que a beleza é a armadilha do diabo: só a beleza, com efeito torna tolerável a necessidade de desordem, de violência e de indignidade, que está na raiz do amor[72].

Em *Senhora*, o tema da violência da captura do objeto amado se vincula ao da violência de todo trabalho de conhecimento, que apreende e cristaliza o real como imagem ou conceito. Creio que não é outro o sentido da comparação:

---

70. *Idem*, p. 268.

71. Durante a orgia na casa do Sá, Paulo bebe o licor no qual Lúcia mergulhara o dedo ferido. "Se o bebesse todo!...", diz a moça, referindo-se ao sangue que tingia o licor. "Tu morrias, Lúcia!" – responde Paulo. E ela: "– Eu... viveria; e o resto seria pasto dos vermes, como foi pasto dos homens". Cf. *Lucíola*, p. 22. Semelhante é o amor de Amália, de *Encarnação*, que, para corresponder ao ideal do amado, destrói voluntariamente sua identidade.

72. BATAILLE, G.*História do Olho*. São Paulo, Escrita, 1981, p. 13.

Como Pigmalião ela tinha cinzelado uma estátua, e talvez, como o artista mitológico, se apaixonasse por sua criatura, de que o homem não fora senão o grosseiro esboço.

As palavras de Bataille ajudam a compreender o erotismo disseminado nesse como em outros romances urbanos de Alencar. O fingimento, componente básico da relação erótica, visa a fornecer o álibi da beleza com o qual a violência se exerce de forma disfarçada. A atitude fingida de Aurélia não se explica somente como denúncia da sociedade do fingimento. É também forma de tornar cativo, pela sedução, o amado que lhe escapa por se encontrar cativo da sociedade mercantil.

Além da erotização do ambiente e objetos, a tática de sedução da heroína, na segunda etapa do plano, consistirá no apelo ao mecanismo do duplo nó: consentir e proibir, oferecer e negar ao mesmo tempo. A manutenção e aguçamento do desejo só se dão na medida em que o objeto erótico elipticamente se dá e se retira[73]. Assim, Aurélia alternará aparições espetaculosas com desaparecimentos súbitos; momentos de euforia e exuberância com fases de recolhimento e indiferença. Lembremos, porém, que aqui também a via é de mão dupla: as hesitações de Aurélia advêm de que, agora; depende exclusivamente dela consentir na consumação do matrimônio. Oferecer-se e retrair-se não é mais somente tática de sedução mas ambíguo indício de uma caminhada titubeante, sempre no limiar entre manter a integridade ou sucumbir à tentação.

Entretanto, o interdito sexual que ela impõe ao marido deve ser compensado de algum modo. É preciso garantir que o vazio deixado entre seus corpos – a distância que só o enlace amoroso aboliria – não seja grande a ponto de permitir que ele escape de seu raio de influência. Metonimicamente se preenche essa lacuna: negando ao marido a chave de acesso à câmara nupcial, Aurélia obriga-o porém a viver em aposentos contíguos aos seus

---

73. Alencar se refere indiretamente ao estilo elíptico numa crônica em que tematiza a falta de assunto, a partir da oposição entre falar e calar. O cronista se diz "na mais difícil posição do mundo; por um lado a prudência e a sabedoria mandavam que me calasse, por outro o leitor e o público exigiam que falasse e escrevesse". E conclui: "Se houvesse um meio de combinar as duas coisas, e ficar com ambas, seria para mim um salvatério" (*Ao Correr da Pena*, p. 232).

e carregados de seus indícios – os móveis de luxo, a perfumaria importada, as roupas que abarrotam as cômodas.

Aqui, a simbólica das chaves adquire especial significado. A natureza erótica do gesto da mulher – entregando ao marido as chaves de todos os aposentos, menos a da câmara nupcial – não demanda maior esforço interpretativo. Aurélia projetara "a igualdade das fechaduras de todas as portas e móveis do uso especial de cada um" porque acreditava que "duas almas que se unem (...) não têm segredos e devem possuir-se uma à outra completamente"[74]. Põem-se em paralelo a porta que veda a câmara, a veste que veda o corpo e o corpo que veda a alma; havendo, em todos esses casos, a possibilidade de acesso à chave que se adapte à fechadura e revele o segredo: da câmara, do corpo, da alma. Lida na dimensão sexual, a recusa da chave remete à castração temporária do marido. E explica o motivo que leva Seixas, desejoso de descobrir o segredo das palavras enigmáticas da mulher, a olhar pelo buraco da fechadura da porta, cuja chave lhe fora negada[75]. A natureza substitutiva do olhar fica, então, óbvia. O cerimonial de entrega da chave, fechando o capítulo III, fecha também, porque define, a relação que deverá se estabelecer, doravante, entre o casal: a proibição da sexualidade será acompanhada de uma infinidade de gestos, palavras e ações eróticas substitutivas.

Nos últimos parágrafos do capítulo, Seixas é incomodado pela suspeita de algo em vias de ocorrer. Pois, se o núcleo do conflito é a interdição da câmara, a crescente proximidade da noite aumenta a angústia e a incerteza do falso marido. Durante o dia fora relativamente fácil representar a comédia do casamento feliz, uma vez que a luz solar os afastara do centro do drama cuja natureza é, metafórica e literalmente, noturna. O dia, trazendo-os para o convívio com os outros, fornece a mediação social que justifica a separação. A noite, ao contrário, coloca-os diante do xis do problema. Não é casual que a magia da luz noturna seja tão temida quanto desejada: acordando anseios mal recalcados, dá

---

74. *Senhora*, p. 278.
75. *Idem*, p. 289.

o tema de uma das cenas a meu ver mais belas do romance. O luar, envolvendo o casal numa ambiência de devaneio e intimidade amorosa, cala tão fundo na alma de Aurélia que ela, fugindo do abismo em que ia caindo, entra impetuosamente em casa e acende todas as luzes artificiais para exorcizar o perigo[76].

Retomando o fio condutor da análise: a narrativa figura um grande movimento elíptico de aproximação gradual iniciada a partir de um ponto máximo de distanciamento. Esse movimento se dá tanto entre o rapaz e a moça, como entre o leitor e o relato que se aproxima e revela pouco a pouco. Iniciado no primeiro e encerrado no último capítulo do romance, o movimento elíptico mais amplo comporta em si giros menores feitos de sucessivas aproximações e afastamentos.

No final do primeiro bloco, como vimos, Seixas está mais próximo da mulher do que no início do romance, quando recém chegara de Pernambuco. O interdito surgido no primeiro encontro na câmara adia a fusão dos corpos e lança-os num caminho de afastamento. Com a interdição, mantém-se a distância física só que menor do que no início. O processo gradual de aproximação atingirá sua culminância – antes da fusão total ao final – na valsa. É o momento em que a proximidade chega ao limite implosivo; e não só a proximidade física entre o homem e a mulher. Mas entre o leitor e o ato sexual que diante de seus olhos se realiza de modo simbólico, através da dança. A distância nesse momento é tão pequena que Seixas tem a impressão de que ela foi abolida:

> Entre os bustos de ambos mantém-se a distância necessária para que não se unam com o volver da dança (...)/ Entretanto a sensação viva que Fernando experimenta neste momento é a do contacto estreito, íntimo, do talhe palpitante da moça, como se o tivesse fechado em seus braços[77].

No segundo bloco narrativo, Seixas vai progressivamente tomando consciência de sua situação e, em decorrência, constrói também um plano para transformá-la. Essa tomada de consciência se manifesta na atitude de opor à mulher uma resignação ostensiva. Ao longo da

---

76. *Idem*, pp. 282-283.
77. *Idem*, p. 317.

convivência, seu caráter se altera. De modo que ao final,

> Aurélia observava o marido, e assistia comovida à transformação que se fora operando naquele caráter, outrora frágil, mundano e volúbil, a quem uma salutar influência restituía gradualmente à sua natureza generosa[78].

E a alteração se dá graças aos contínuos embates com a mulher. Diferentemente de seu caráter, entretanto, o corpo de Seixas deverá permanecer o mesmo de quando a moça o vira pela primeira vez. Tanto que ao mandar confeccionar o retrato do marido, recusa a expressão grave que ele adquirira após o casamento, buscando recuperar a fisionomia do homem do passado.

As duas partes finais estão pontilhadas de referências às mudanças na interioridade de Seixas. Na manhã seguinte ao casamento, ele compreende que o amor de Aurélia era dos que julgava só existir na ilusão poética. E percebe que perdeu aquela mulher pouco depois de tê-la encontrado. Essa transformação é acompanhada por um novo modo de percepção da natureza. Ele, o artista imitador, o olho hábil só para a aparência, "sentia que além das cores brilhantes, das formas graciosas e dos perfumes agrestes, havia alguma cousa de imaterial que palpitava no seio desse ermo (...) Era a alma da criação"[79]. Retornando à secretaria torna-se trabalhador assíduo, transformando a sinecura em ofício efetivo. Abandona a galanteria banal e substitui o traje de cores vivas por outro, mais sóbrio. Como a fisionomia, que se torna grave e reflexiva.

Essa transformação ficará nítida ao final do romance. No capítulo V da última parte ele se olha criticamente: "Pela primeira vez duvidava disso a que ele chamava sua honra"[80]. E no capítulo seguinte, o sentido da transformação se esclarece; Seixas não era mais a imagem da sociedade de mercado mas a de Aurélia: "Ela adivinhava ou antes via, que sua lembrança enchia a vida do marido e a ocupava toda (...) Havia em Fernando uma como repercussão dela"[81]. Até mesmo

78. *Idem*, p. 325.
79. *Idem*, p. 262.
80. *Idem*, p. 321.
81. *Idem*, p. 325.

Byron, "o poeta de seus antigos devaneios"[82] fica preterido em favor Shakespeare "que ele outrora achava monstruoso e ridículo". Só porque o trágico inglês era o artista predileto da mulher.

A transformação de Seixas é o trabalho artístico da mulher, esculpindo seu marido. A terceira parte, "Posse", poderia a grosso modo ser dividida em dois segmentos de cinco capítulos cada. O primeiro começa com uma situação de relativa amabilidade nas relações entre o casal, após a crise da noite do casamento. A partir daí a rispidez vai aumentando até atingir o ápice no final do capítulo V. Após um diálogo carregado de reprovação e sarcasmo da mulher, o marido faz a comparação afrontosa: "– A senhora tem uma sagacidade prodigiosa! Bem mostra que é sobrinha do Sr. Lemos"[83]. O último parágrafo revela a crise: "Era a primeira noite depois de casados, que ela não voltava do jardim na companhia e pelo braço do marido". Nesse capítulo se sintetizam o fim de uma fase e o começo de outra. Termina o confronto que Aurélia vinha fazendo entre o homem comprado e o que sua imaginação produzira. É quando Seixas lhe diz que cumprirá as obrigações de marido, por mais humilhantes que sejam. A moça manifesta reação de repulsa. Começa a fase de refúgio e vivência no imaginário.

A divisão do capítulo V em dois momentos remete à dualidade e cisão entre o mundo imaginário da mulher e seu mundo real. No primeiro momento ela está só nos aposentos de Seixas. Na ausência do homem real, ela vive o devaneio com o homem do sonho. O narrador, adentrando a consciência da personagem, revela que o amor que ela não encontrava na realidade "ia bebê-lo a longos haustos na taça de ouro, que lhe apresentava a fantasia"[84]. Veja-se, ainda, que o amor ideal de Aurélia não é destituído de sensualidade pois as horas de vivência no imaginário eram "inebriantes e deliciosas". Da mesma forma, sua relação com o Seixas frio do retrato não dispensa o "beijo férvido, pujante, impetuoso"[85]. O

---

82. *Idem*, p. 326.
83. *Idem*, p. 281.
84. *Idem*, pp. 277-278.
85. *Idem*, p. 305.

problema, portanto, não é somente a dualidade entre corpo e alma, mas também a defasagem entre o real e sua representação. De tal forma que a sensualidade, que Aurélia recusa viver na vida real, é vivida imaginariamente.

O segundo momento do capítulo se opõe ao primeiro porque a mulher, que antes se dirigia ao marido dos sonhos com palavras afáveis, agora dialoga ironicamente com o homem real. A rispidez do diálogo irá crescendo até o final do capítulo. De início o narrador observa que a primeira frase fora pronunciada "com simulada indiferença". A simulação existe porque o diálogo é triangulado pela presença de D. Firmina. O efeito de contraste entre a aparência de casal feliz e a realidade da desunião é conseguido pela simultaneidade entre palavras ríspidas e gestos forjados para parecerem descontraídos e banais. Enquanto trocam palavras ásperas, passeiam pelo jardim admirando as flores.

Na conversa, Aurélia conta ao marido que estivera em seus aposentos onde descobrira que nenhum dos objetos fora tocado. Seixas reafirma sua posição: como servo, só tem obrigações. Assim, recusa não só os objetos de adorno, como também os prazeres com que a mulher quer tentá-lo: "apetite para suas iguarias e prazer para suas festas, eis ao que não me obriguei"[86].

Com essa recusa, Seixas promove a disjunção entre prostituição e gozo. Em *Senhora*, ao contrário de *Lucíola*, é o homem quem se prostitui. Lúcia confunde na mesma pessoa a venda do corpo e a entrega ao prazer: a comida, a bebida, o amor. Seixas, ao contrário, separa e opõe o ato de venda do corpo e seu uso como fonte de prazer. Talvez por isso fique mais nítida a idéia da relação entre a venda do corpo e a alienação da força de trabalho no mercado. Num caso, a prostituição é vista sobretudo como problema de ordem individual e moral; no outro, como de ordem social e política. Político é também o sentido que Seixas dá à proposta de divórcio, feita por Aurélia. Ele pergunta: "– O senhor tem o direito de despedir o cativo, quando lhe aprouver?" para em seguida concluir que não é lícito

---

86. *Idem*, p. 281.

depois de privar-se um homem de sua liberdade, de o rebaixar ante a própria consciência, de o haver transformado em um instrumento (...) a pretexto de alforria, abandonar essa criatura a quem seqüestraram da sociedade[87].

O final de "Posse" finaliza também o processo de substituição do homem real pelo imaginário, que agora se objetiva na confecção dos retratos. Sua reduplicação, no entanto, desnuda a convivência em paralelo de dois tempos e dois espaços distintos. Para o marido, Aurélia diz que os retratos de ambos são um "ornato indispensável à sala"[88]. E, de fato, os que ela destina à exibição pública são mero ornamento porque ostentam um falso casal. Entretanto, o quadro de Seixas que ela divide com a sociedade da sala é cópia do original feito pelo pintor. A criação autêntica – que ela mandara pintar de acordo com a imagem do amante do passado – essa, ela não divide com ninguém. Nem fica no tempo/espaço profano do olho público. Vai para o recinto sagrado de seu toucador. Aurélia continua sendo obrigada, pela triangulação, a dividir o marido com a sociedade. Só que, astuta, entrega-lhe o Fernando-cópia.

No toucador o retrato será colocado numa espécie de altar, sendo adorado como ídolo. Sobre ele, a cortina pendente de um dossel denuncia o caráter religioso do amor de Aurélia pela representação. Mas mostra também a natureza substitutiva do retrato, que se encontra num lugar que faz as vezes do leito interditado. Isso explica a cena em que a moça exibirá, pelo beijo férvido, a veemência da paixão que canalizara para o homem retratado:

– O homem que eu amei, e que amo, é este (...) O senhor tem suas feições; a mesma elegância, a mesma nobreza de porte. Mas o que não tem é sua alma, que eu guardo aqui em meu seio e que sinto palpitar dentro de mim, e possuir-me, quando ele me olha[89].

Para Aurélia, interessa do Seixas real apenas a materialidade-carcaça, o barro informe – aqui, a cera branda – a que ela aplicará seu sopro dotando-o de uma al-

87. *Idem*, p. 293.
88. *Idem*, p. 297.
89. *Idem*, p. 305.

ma feita à sua imagem e semelhança. O retrato reproduz as feições do homem real. Mas esse, por sua vez, deverá reproduzir, ao final, a alma do retrato – resultante do trabalho artístico da mulher. O marido bidimensional do quadro passará, então, a ter – como sua criadora – a profundidade da estátua:

> Como uma cera branda, o homem de coração e de honra se formara aos toques da mão de Aurélia. Se o artista que cinzela o mármore enche-se de entusiasmos ao ver a sua concepção, que surge-lhe do buril, imagine-se quais seriam os júbilos da moça, sentindo plasmar-se de sua alma, a estátua de seu ideal, a encarnação de seu amor[90].

Dos toques da mão da artista, vai surgindo um homem reflexivo e crítico que decide – à semelhança de sua criadora – arquitetar um plano de resgate. Esse, de início, mal se deixa entrever, como sucedera com o da mulher. Referindo-se à esquivança do marido, o narrador conta que

> entrava isso na resolução que havia tomado, mas não era sem grande esforço e luta acérrima, que obtinha de si permanecer ao lado dessa mulher (...)/ Uma razão poderosa o retinha, devemos supor, e tão forte que subjugava a todo o instante a revolta de seus brios[91].

Como se vê, são as mesmas artimanhas que antes velavam as armadilhas da mulher.

Ao processo de assimilação da criadora pela criatura se deve o lance teatral de Seixas apresentando-se perante a mulher com o dinheiro do próprio resgate: "Ao abrir a carteira, Seixas suspendeu o gesto"[92]. A estátua tem tanta aparência de vida que inquieta e surpreende sua criadora. Na noite anterior ao segundo encontro na câmara nupcial, a moça tenta compreender as atitudes do marido, perguntando-se "qual intenção era a sua"[93]. Projetando-se como ser tridimensional, Seixas começa a ser também enigmático. O homem solteiro cuja honestidade tinha a "têmpera flexível de cera"[94] dá lugar, no

---

90. *Idem*, p. 326.
91. *Idem*, p. 296.
92. *Idem*, p. 336.
93. *Idem*, p. 333.
94. *Idem*, p. 212.

penúltimo capítulo do romance, ao que traz "na expressão rígida e grave do rosto, o cunho de uma resolução inflexível"[95].

A última parte — "Resgate" — tem nos capítulos IV e V a culminância do processo de transformação do Seixas real em estátua, a partir do quadro elaborado pelo pintor. Ficamos sabendo que a alma de Fernando "semelhante ao molde que concebe a cera branda vazava em si a formosa estátua e recebia seu toque mavioso"[96]. A transformação é tão completa nesse momento que até Aurélia crê que "achara enfim a encarnação de seu ideal"[97].

A valsa, centro dos acontecimentos relatados nos dois capítulos, pode ser interpretada como emblema do romance. Já observei que ela é o átimo de quase-fusão dos corpos, antes do desfecho final.

É o instante em que o risco de ruptura do equilíbrio tenso do casamento interditado atinge seu limite: daí o desmaio da mulher. O par que dança descreve no salão "duas ou três elipses", percurso que tem como um dos focos o olhar público dos convidados do baile. A dança ilustra o sentido erótico da frase de Dumas citada por Alencar: "o prazer da velocidade tem um gozo, uma voluptuosidade inexprimível".

O erotismo do movimento crescente da valsa torna-a símbolo do ato sexual interditado[98]. O narrador, como antes, apela para a fuga elíptica sempre que a proximidade atinge o clímax. Interrompe bruscamente o relato dos movimentos cada vez mais vertiginosos do casal para introduzir considerações de ordem moral a respeito da valsa. Somos arrancados do calor da dança que se intensifica — do "fogo intenso do olhar, que escapava-se agora em chispas sutis, e feriam o semblante de Seixas como os rutilos de uma estrela"[99] — ao frio da palavra

95. *Idem*, p. 333.
96. *Idem*, p. 317.
97. *Idem*, p. 320.

98. Tanto Marilena Chauí quanto Dante Moreira Leite se referem ao erotismo da valsa. Aquela pergunta: "Quantos romances românticos não giram em torno da paixão e do sexo desacontentado pela valsa?" *Repressão Sexual*, p. 132; LEITE, D. M. *O Amor Romântico e Outros Temas*. 2. ed., São Paulo, Ed. Nacional/EDUSP, 1979, pp. 50-53.

99. *Senhora*, p. 316.

que se distancia na generalidade para discorrer a respeito da origem da valsa: "A valsa é filha das brumas da Alemanha, e irmã das louras valquírias do norte".

Como no ato sexual, "é realmente a desfolha da mulher, a despolpa de sua beleza e de sua pessoa, o que a valsa impudica faz"[100]. É impudica porque a desfolha se dá "...no meio da sala, em plena luz, aos olhos da turba ávida e curiosa". O diálogo do casal que dança mostra a função substitutiva e preambular da palavra, como aparecera no arranjo especial do quarto nupcial. Trocam-se frases curtas e rápidas porque o movimento que aumenta vai alterando, cada vez mais, o ritmo da respiração e da fala, que se torna finalmente intermitente:

– A cabeça é que é fraca. – Mas que singularidade! – Em tudo sou esquisita! – Devagar é que tonteio. – A casa roda em torno de mim. – Depressa não. – Quando tudo desaparece... – Quando não vejo mais nada... – Então sim! – Então gosto de valsar! – E posso valsar muito tempo![101].

Os travessões indicam os espaços em que a dança se alterna com a palavra, ainda em estado de equilíbrio. Esse será em seguida rompido, ao se acelerar a música: "O lindo par arrojou-se, deixando a trotar classicamente os outros que não podiam acompanhar aquela torrente impetuosa". Desenvolvendo velocidade diferente da dos demais, ambos já não falam. A palavra dá lugar ao puro movimento em ascendência vertiginosa. O casal imprime ao passo uma velocidade tal que torna impossível ao olho público continuar vigiando-o: "Obscurecia-se a vista que buscava acompanhá-lo". É como se a estrela, que descera à terra metamorfoseando-se em mulher, atingisse, enfim, seu objetivo: raptar da turba terrestre o amado e com ele se escapar para sua própria esfera sideral. O casal "passava nublado por aquela espécie de atmosfera oscilante, que a velocidade da rotação estabelecida em torno de si".

A ocultação se completa, na culminância do movimento, com um orgasmo simbólico e deslocado – quando o par "alongara a elipse até a extremidade, voltando

---

100. *Idem*, p. 317.
101. *Idem*, p. 316.

por detrás de uma das jardineiras, onde não estava ninguém naquela ocasião"[102]. Em sua rotação, os valsantes se afastam do primeiro foco da elipse, o olho público; e se aproximam do segundo, o olho de ninguém, a ausência de luz, o buraco negro. No entanto, ainda aqui há dubiedade. Pois, se por um lado o casal se esconde do público — o que, em princípio, tornaria possível a consumação do casamento — na realidade, há o olho do leitor espiando-o por detrás da jardineira. Por isso a consumação se dá simbolicamente — como dança; e deslocadamente — já que o que acontece é a fusão das bocas: "os lábios de ambos afloraram-se no sutil perpasse".

Além de simbólico e deslocado, é um orgasmo às avessas: em lugar da explosão, a implosão — o desmaio. Apesar disso, sua aparência de verdade é tal que Aurélia pensa ter finalmente encontrado o homem dos sonhos. O ápice da valsa, proporcionando uma fusão corporal parcial, permite porém a culminância do trabalho criador da mulher, o qual se dá, então, como transfusão: "Era uma verdadeira transfusão operada pelo toque da mão da moça no ombro do marido, e da mão deste na cintura dela; mas sobretudo pelos olhos que se imergiam, e pelas respirações que se trocavam." O trabalho criador autêntico é relação de paixão. Olhos e boca completam a fusão iniciada no contacto da mão e compõem o instante de plenitude em que criador e criatura se confundem num só: a mão da moça no ombro do marido, a mão deste na cintura dela.

A valsa não passa, todavia, de mais um instante de plenitude fugaz. É bem verdade que o mais intenso deles. A ponto de confundir a heroína e levá-la a uma feroz e momentânea disputa com a sociedade, que parecia querer de novo arrebatar-lhe o amado. O rapaz, no entanto, outra vez escapa porque ouve apenas metade da fala em que a mulher diz tê-lo comprado caro. Seixas interpreta a expressão univocamente, na acepção mercantil. Não lhe alcança a dubiedade semântica, porque se levanta antes de que a moça acrescente: "— Pois foi ao preço de minhas lágrimas e das ilusões de minha vida"[103]. Como anteriormente, o leitor recebe um pedaço

---

102. *Idem*, p. 318.
103. *Idem*, p. 320.

a mais da verdade, podendo constatar outra vitória da ironia sobre a analogia.

Com a crise reaberta pela referência de Fernando ao lenço de rendas, só resta voltar à sala e reeditar a valsa em versão fingida. Resta encenar o espetáculo da falsa dança para ocultar da turba a verdade da paixão que se tornara espetáculo ao se deixar, por um átimo, entrever. "– Tudo, menos dar minha vida em espetáculo a este mundo escarninho"[104], quer Aurélia. Desde sua aparição no céu fluminense, a estrela-atriz não tem feito senão ostentar brilhantes espetáculos fabricados para alimentar a gula do olho público e desviá-lo do que não deve ser espetáculo. Na nova versão não há mais a transfusão dos corpos. Agora, seus corações "que ainda há pouco se confundiam na mesma pulsação (...) batiam isolados e cadentes, apenas agitados pelo movimento, como ponteiros de relógio". Não mais "o fogo intenso do olhar" porque agora "havia entre ambos um oceano de gelo".

Recomeçam as artimanhas do narrador para preparar o desfecho. Assim como, nos momentos antecedentes do primeiro encontro na câmara, fora alimentada até o último instante a expectativa do desenlace feliz; aqui também será alimentada a expectativa contrária. Dançando a valsa pela segunda vez, Aurélia sugere a inexorabilidade da desunião ao se declarar curada para sempre da vertigem. E a separação parece ser tanto mais certa quanto mais se ostenta seu contrário, já que lidamos com um jogo febril de desmascaramentos: Seixas se transformara tanto, que convencera Aurélia de seu amor. Reiterando a armadilha, o narrador depois de se referir a essa transformação diz que "o drama dessa paixão encaminhava-se a um desenlace feliz, quando um incidente veio complicá-lo, perturbando seu desenvolvimento e precipitando o desfecho"[105].

Daí para frente se acumularão indícios vários da separação iminente. Seixas obtém uma quantia inesperada. Em seguida flagra uma entrevista que julga escusa entre a mulher e seu antigo pretendente. Aquela não só não desfaz a dubiedade da entrevista, como se recusa a dar

---

104. *Idem*, p. 323.
105. *Idem*, p. 326.

explicações a respeito. Na noite anterior ao segundo encontro na câmara, Aurélia se mostra preocupada com a ostensiva gentileza do marido e com suas alusões a um possível rompimento. Como disse, as mesmas atitudes enigmáticas da mulher aparecem agora no marido, através de cujo plano se sugere a ruptura definitiva.

O segundo encontro na câmara figura a surda luta final entre as forças latentes de atração e as manifestas de fuga. O primeiro tivera como objetivo aparente o amor, acabando por revelar a transação mercantil. De modo paralelo e inverso, o segundo é encontro de negócios entre Seixas e sua mulher. Por baixo do verniz da conversa comercial, porém, as artimanhas femininas preparam a derradeira metamorfose.

No caminho de ida, Fernando encontra a câmara às escuras; de modo que seus olhos ficam impossibilitados de rever o local onde fora humilhado. Nega-se à razão — os olhos do corpo — uma visão que, predispondo mal o amado, poria em risco o projeto de captura. Ao mesmo tempo, oferece-se ao olfato o perfume do ambiente "que o envolveu como a atmosfera de um céu". Retirando-se o estímulo à razão e substituindo-o pelo chamado à emoção, atinge-se a interioridade, vê-se com os olhos da alma. O azul do céu, cor escolhida a propósito para dominar o ambiente do quarto conjugal, está ali sugerindo a qualquer imaginação fértil as delícias do paraíso. Azul será também a fita que logo adiante aparecerá atando um maço de papéis, entre os quais o título de venda do marido. A fita desata outro ardil pelo qual se vislumbra a força oculta feminina laborando em causa própria: "– Não conhece esta fita? Foi a primeira cousa que recebi de sua mão, com um ramo de violetas. Ah! perdão; estamos negociando"[106].

Não é apenas o azul celeste a cor escolhida para sugerir delícias inconfessáveis. O verde do roupão de Aurélia – o verde de Vênus[107] – atinge as vistas do marido e surte o efeito certo: traz-lhe de volta à memória o pri-

---

106. *Idem*, p. 337.
107. Segundo a tradição astrológica, o verde é a cor de Vênus. A deusa do amor e da beleza é vista por alguns como "traiçoeira e má, exercendo sobre os homens uma influência fatal e destruidora". Cf. HAMILTON, E. *A Mitologia*. 3. ed., Lisboa, Publicações Dom Quixote, 1983, p. 41.

meiro encontro, causando-lhe a impressão de "continuar uma entrevista suspensa"[108]. Curiosa é a forma como se considera a repetição da vestimenta. Seixas, esse eterno ingênuo em matéria de astúcia feminina, credita-a a simples coincidência. Assim como antes atribuíra ao capricho da sorte o fato de Aurélia ser a noiva desconhecida. O narrador, por sua vez, vê na repetição "uma espécie de superstição"[109]. Nós, os leitores — a essa altura fartos de conhecer tanto a sistemática miopia do marido como o calculado fingimento do narrador — sabemos também da boa memória de Aurélia, ela que dois anos depois de ver Fernando pela primeira vez, ainda se lembrava tão bem de seu traje que o explicara ao retratista.

O narrador põe uma calculada demora no relato da parte mercantil da conversa. Seixas explica com detalhes a proveniência do dinheiro do resgate, faz contas exatas de toda sua dívida. Taciturna ante o marido loquaz, a mulher limita-se aos gestos que corroboram até o último momento a falsa idéia da inevitabilidade da separação. Quando Fernando alude a um possível reencontro futuro, ela retruca: "— Creio que nunca mais"[110], frase em que o narrador observa "o tom de uma profunda convicção."

Os lances necessários à subversão são poucos mas certeiros. Quando o marido explica por que aceitara aquele casamento, a mulher aproveita a oportunidade para desfazer a má impressão causada por sua entrevista com Abreu. E de passagem deixa entrever sua generosidade ao revelar que o dinheiro do resgate seriviria para outra regeneração. Sempre concordando com o desenrolar do processo de separação, Aurélia dá o passo seguinte: a preparação do cenário para os lances finais. No caminho de ida, Seixas encontrara o quarto às escuras. Desfeito o mercado e restituído à sua liberdade, ele passará, na volta, pelo aposento iluminado. Agora, já não há mais o perigo da humilhação. Além disso, é preciso que a cena esteja iluminada para os últimos *coups de théâtre*. "— Não quero que erre o caminho"[111], pre-

---

108. *Senhora*, p. 335.
109. *Idem*, p. 334.
110. *Idem*, p. 337.
111. *Idem*, p. 338.

texta Aurélia, essa que nada mais fizera até aí do que armar labirintos para que o marido errasse o caminho.

No momento em que Fernando está prestes a deixar o quarto, Aurélia joga a primeira grande cartada: inverte os polos da relação. Transforma o presente da degradação em passado; suprime o Seixas e a Aurélia que viveram aquele presente; e inaugura, como novo presente, um tempo que mistura o idílio do passado com o ouro da degradação: uma "idade de ouro", em sentido dúbio, bem ao gosto de Alencar. O artifício quase surtia efeito, não fosse o último esforço de Seixas para furtar-se ao cativeiro daquela que, à sua frente, se travestia em cativa.

Quando já o beijo os punha à beira da fusão final, a fria reflexão faz o marido se afastar: "– Não, Aurélia! Tua riqueza separou-nos para sempre"[112]. Eis a ironia: a primeira fuga do amado tivera como motivo a ausência do dinheiro, a segunda se deve à sua presença. Aurélia, porém, trava a batalha contra o tempo histórico, da ironia. Reagindo, tira de sua caixa de Pandora o derradeiro segredo: o testamento, cujo conteúdo ata no mesmo nó os motores da dinâmica do relato – amor e dinheiro. "Era efetivamente um testamento em que ela confessava o imenso amor que tinha ao marido e o instituía seu universal herdeiro." Finalmente Seixas está num beco sem saída. As belas reflexões que tecera sobre a inalienabilidade de sua alma; a solenidade de que revestira o ato de reassunção de sua liberdade; tudo se reduz a palavrório oco, ante a perfeição da armadilha da mulher: "– Esta riqueza causa-te horror? Pois faz-me viver, meu Fernando. É o meio de a repelires".

Com esse gesto, Aurélia alcança, enfim, a realização de seu desejo. O que ainda restava de algo que se pudesse chamar de alteridade em Seixas, o que lhe dera força para a última tentativa de fuga, é tão débil e dúbio nesse momento – após onze meses de convívio com a mulher – que mais dá a impressão de identidade. O Seixas que recusa o ouro é mais a imagem fabricada pela mulher do que aquele que, morando na Rua do Hospício, fazia-se passar por dândi endinheirado.

---

112. *Idem*, p. 340.

E como somente a tirania possibilita a plenitude do desejo, é pela tirania que Aurélia captura o amado.

Tyrannós, para os gregos, não significa, como para nós, o ditador violento que domina pela força. *Tyrannós* se opõe a *basileus*, isto é, ao rei por hereditariedade ou linhagem. O tirano é aquele que conquista o poder, em vez de herdá-lo, e que o conquista graças às suas altas e extremas virtudes como guerreiro, protetor e sábio. É aquele que possui qualidades acima ou superiores às dos outros homens, estando, por isso, acima das leis da Cidade, sujeito apenas à sua própria vontade e à vontade dos deuses[113].

Aurélia tivera acesso ao poder do dinheiro pela hereditariedade. O dinheiro, sim, é reconhecido como tirania pela força: "— Conheci outrora o dinheiro como um tirano"[114], diz a moça, para depois acrescentar:

– Isto que o senhor chama escravidão, não passa da violência que o forte exerce sobre o fraco; e nesse ponto todos somos mais ou menos escravos (...) uns de sua pobreza, e outros de sua riqueza[115].

Mas o poder do amor só se atinge pela astúcia do plano que, instrumentalizando a força do dinheiro, captura o amado: "— Escravos verdadeiros, só conheço um tirano que os faz, é o amor". Assim Aurélia expressa a diferença entre as duas formas de tirania.

A captura é uma forma de acabamento. Em *Senhora*, como em *Diva*, na conclusão do relato não fica concluído o enigma feminino. Internamente, o fechamento se dá com a apreensão do homem pela mulher a qual continua, entretanto, indecifrada. Talvez seja só (e tudo) o que Aurélia não conseguiu de Seixas, apesar de desejá-lo: "— É preciso que ele me ame bastante para vencer-me a mim, e não só para se deixar vencer"[116]. Não será que o marido não a vence porque não sente por ela — como por suas festas e iguarias — senão uma forma muito pálida de apetite e prazer?

Recuperando nossa analogia entre mulher e narrativa: não será, então, que, na relação da narrativa com seu leitor, aquela — que se apresentara como objeto enigmático a ser agarrado — é quem na verdade acaba

113. *Repressão Sexual*, p. 61.
114. *Senhora*, p. 192.
115. *Idem*, p. 313.
116. *Idem*, p. 324.

capturando e cativando o leitor? Não deverá ele rejeitar Seixas como modelo e investir no prazer da leitura como única forma de fazer da tirana — narrativa/mulher — a cativa?

Depois do rapto do amado, as cortinas se fecham e o livro também. O relato se afasta do leitor, mas não sem antes ter semeado nele a necessidade de uma nova aproximação, para a segunda leitura. Há níveis de enigma que só o são para o leitor de primeira viagem. A abertura do testamento é apenas o artifício final de uma série que visa a causar a subversão dos fatos. Nisso o romance é semelhante a outras ficções, das quais citarei somente um exemplo ilustre. No conto de Borges — *A Casa de Asterion* — apenas no final saberemos que o narrador, em companhia de quem caminhávamos pelo labirinto, não é Teseu mas o Minotauro.

O testamento de Aurélia, fecho do romance, abre-o entretanto para uma nova leitura, na medida em que repropõe outra organização dos dados. Eivada de ambigüidades em todos os níveis, a narrativa está feita para provocar o retorno a ela. E nisso se entronca numa tradição ficcional de abertura para o leitor, a qual atingirá culminâncias em ficções do século XX. A natureza elíptica da relação da obra com seu exterior não é peculiaridade de um romance mas de uma relação de fruição. Derrida diz que

o regresso ao livro é de essência *elítica*. Algo invisível falta na gramática desta repetição (...) Repetida a mesma linha já não é exatamente a mesma, a curva já não tem exatamente o mesmo centro (...) Algo falta para que o círculo seja perfeito (...) A pura repetição, ainda que não mudasse nem uma coisa nem um signo, traz consigo um poder ilimitado de perversão e de subversão"[117].

Neste ponto, a análise se interrompe por absoluta necessidade de arrancar do palco, a caneta... antes que ela recomece o infinito giro interpretativo.

117. DERRIDA, J. *A Escritura e a Diferença*. São Paulo, Perspectiva, 1971, pp. 75-76. Debates 49.

ANEXOS

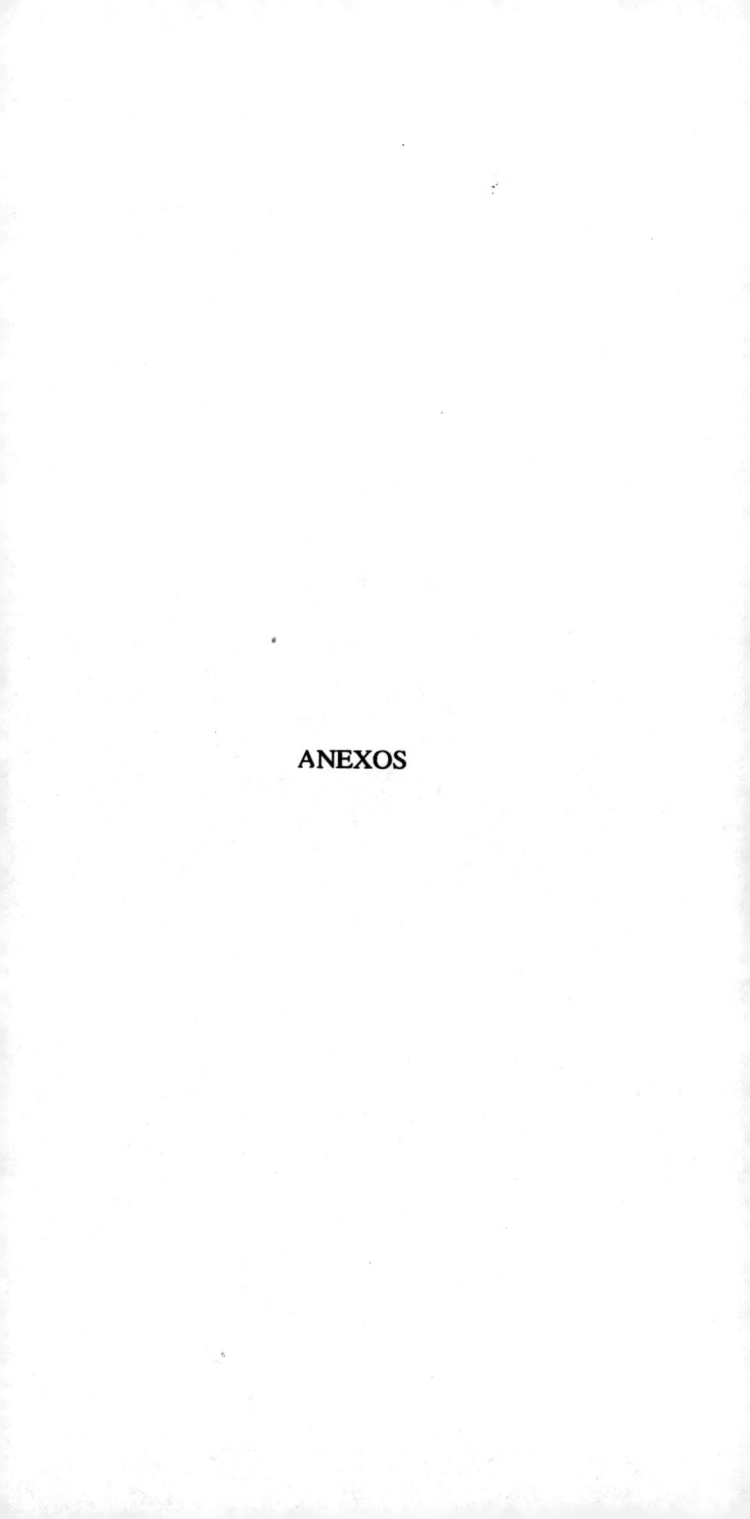

AO CORRER DA PENA*

(trecho da crônica publicada em 6 de maio de 1855)

(...) Tinham-me feito tantos elogios deste armazém [um estabelecimento ótico], do seu arranjo e elegância, que assentei de julgá-lo pelos meus próprios olhos.

Não foi, porém, esta a única razão que excitou a minha curiosidade. O que principalmente me levava àquela casa era um sentimento egoísta, um desejo de míope.

Les yeux sont les fenêtres de l'âme, diz Alphonse Karr num livrinho espirituoso que dedicou às mulheres.

Ora, há muitas almas que têm a felicidade de poderem de manhã cedo abrirem as suas janelas de par em par, e se debruçarem nelas para espreitarem o que se passa adiante do nariz.

Outras mais modestas, como as almas das mocinhas tímidas, abrem a meio as suas janelas, mas se escondem por detrás das *gelosias* que formam seus longos cílios de seda; e assim vêem tudo sem serem vistas.

---

* Cf. ALENCAR, J. *Ao Correr da Pena*. In: *Teatro Completo*, Rio de Janeiro, Serviço Nacional de Teatro, 1977, v. 1, pp. 172-176.

Algumas, porém, são tão felizes, que, quando abrem as suas janelas, vêem-se obrigadas a descerem imediatamente as *empanadas*. Estas são as almas dos míopes que usam de óculos fixos.

Estou, portanto, convencido que as *janelas d'alma* são em tudo e por tudo semelhantes às janelas das casas, com a única diferença do arquiteto.

Assim, há olhos de sacada, de peitoril, de persianas, de empanadas, de cortinas, da mesma maneira que há janelas azuis, pretas, verdes, de forma chinesa ou de estilo gótico.

Essas *janelas d'alma* são de todo o tamanho.

Umas excedem a medida da Câmara Municipal, e deviam ser multadas porque afetam a ordem e o sossego público: são os olhos grandes de mulher bonita.

Outras não passam de pequenas frestas ou seteiras, como certos olhos pequeninos e buliçosos que, quando olham, fazem cócegas dentro do coração.

O que, porém, dava matéria a um estudo muito interessante é o modo por que a alma costuma chegar à janela.

A alma é mulher, e como tal padece do mal de Eva, da curiosidade; por isso, apenas há o menor barulho nas ruas, faz o mesmo que qualquer menina janeleira, atira a costura ao lado e corre à varanda.

Entretanto cada um tem o seu sistema diferente.

As almas francas e leais debruçam-se inteiramente na sacada, sorriem ao amigo que passa, cumprimentam os conhecidos, e às vezes oferecem a casa a algum dos seus íntimos.

Outras, ao contrário, nunca se reclinam à janela, ficam sempre por detrás da cortina, e olham o que se passa por uma pequena fresta. Deste número são as almas dos diplomatas, dos jesuítas e dos ministros de Estado.

Em compensação, há também algumas almas que, quando pilham um espírito descuidado, saltam pela janela como um estudante vadio, e vão *flanar* pelas estrelas, abandonando por um instante o corpo, seu hóspede e companheiro.

Animula vagula, blandula,
Hospes comesque corporis.

As almas das andaluzitas, e de algumas mulheres *coquettes* que eu conheço, têm um costume mui lindo de chegar à janela.

Escondem-se e começam a brincar com as cortinas, a fazer tantos requebros graciosos, tantos meneios encantadores, que seduzem e martirizam um homem.

Para exprimir esta travessura d'alma na janela, os espanhóis inventaram uma palavra mui doce, o verbo *ojear*, que não tem tradução nas outras línguas.

Ia eu meu caminho, pensando em todas estas coisas, e formando um plano de estudo sobre as janelas d'alma, quando encontrei um amigo que se prestou a me acompanhar.

Chegamos juntos ao armazém óptico da Rua do Hospício nº 71. O seu proprietário nos recebeu com toda a amabilidade e cortesia, e nos mostrou o seu estabelecimento.

Com efeito, não eram exagerados os elogios que me tinham feito dessa casa, onde se encontra um sortimento completo de instrumentos e objetos de óptica, tudo perfeito e bem acabado.

Vi um telescópio que me asseguraram ser o melhor que existe no Rio de Janeiro atualmente, e com o auxílio do qual pode um homem uma bela noite ir fazer uma visita aos planetas e examinar de perto os anéis de Saturno.

Vi muitos outros instrumentos para medir as distâncias, tomar as alturas das montanhas, estudar as variações da atmosfera, muita coisa enfim que os nossos avós teriam decerto classificado como *bruxaria*.

Chegamos finalmente aos óculos, e entre todos aqueles primores d'arte, no meio de tantos trabalhos delicados e de tantas invenções admiráveis, causou-me reparo uma velha luneta de grossos aros de tartaruga, de feitio tão grosseiro que me pareceu ser uma das primeiras obras do inventor dos óculos.

Estava metida numa caixa de marroquim roxo, sobre o qual se destacavam uns traços apagados, que me pareciam de letras desconhecidas de alguma língua antiga.

Disse-me o proprietário que esta luneta lhe viera por acaso entre uma coleção de elegantes *pince-nez* que lhe chegara ultimamente da Europa; excedia o número da fatura, o que fazia supor que naturalmente tinha-se confundido com as outras, quando o fabricante as arrumara na caixa.

Embora não me dê a estudos de antiquário, contudo aprecio esses objetos de outros tempos, que muitas vezes podem ter um caráter histórico.

Continuei a examinar a luneta, levei-a aos olhos, e por acaso fitei o amigo que me acompanhava.

Horresco referens!

Li na boca do meu companheiro, em letras *encarnadas* estas formais palavras:

— Forte maçante! Está me fazendo perder o tempo!

Agarrei mais que depressa a minha alma que ia lançar-se à *janela*; e, disfarçando a minha surpresa, voltei-me para o proprietário.

Através do seu ar amável e cortês, li ainda o seguinte:

— Que extravagância! Com tantos óculos bonitos, ocupar-se com uma luneta velha que não vale nada!

Enfim, olhei para o caixeiro da casa, e vi imediatamente a tradução de um sorriso complacente que lhe assomava nos lábios:

— Ah! se o homem me livra deste alcaide! dizia o sorriso do caixeiro.

Não havia que duvidar. Tinha em meu poder a célebre luneta mágica de que falam os sábios antigos. Comprei-a por uma bagatela, apesar da insistência do proprietário que não queria abrir preço a um traste velho sem valia.

Despedi-me do meu amigo, pedindo que desculpasse a maçada, guardei com todo o cuidado a minha luneta, e segui o meu caminho.

Precisava refletir.

Como é que aquele vidro mágico que se perdera na antigüidade, e que depois Frederico Soulié achou nas *Memórias do Diabo*, o emprestou um instante a Luigi, se achava nesse momento na minha algibeira?

Por que fatalidade o *lorgnon* de Delfina Gay viera parar ao Rio de Janeiro, e se achava naquela casa, desconhecido, ignorado de todos, podendo cair nas mãos do chefe de polícia, que então se veria obrigado a prender nove décimos da cidade?

Pensem que turbilhão de idéias, que torvelinho de pensamentos me agitava a mente exaltada por este fato. Visões fantásticas surgiam de repente e começam a dançar um *sabbat* vertiginoso no meu cérebro escandecido.

Via cenas do *Roberto do Diabo*, de *Macbeth*, do *Paraíso Perdido* e da *Divina Comédia*, mais bem pintadas do que as de Bragaldi, de Dante, de Milton, e de todos os pintores e poetas do mundo.

Enfim, decidi-me e fui almoçar.

O almoço — e especialmente o almoço diplomático e parlamentar — é um dos mais poderosos calmantes que eu conheço. Atua sobre o espírito pelo sistema homeopático.

Se este ano pudesse haver a mais pequena sombra de oposição, aconselharia aos ministros que pusessem em voga nesta estação os almoços parlamentares.

Depois de almoçar, senti-me mais senhor de mim, e pude refletir friamente sobre a posse da minha luneta.

Lembrei-me que era escritor, e avaliei o alcance imenso que tinha para mim aquele vidro mágico.

Bastavam-me três ou quatro *coups de lorgnon*, para escrever uma revista que antes me roubava bem boas horas de descanso e sossego.

Não precisava mais estar preso a uma banca, a escrever, a riscar, a contar as tábuas do teto em busca de uma idéia a esgrimir contra a musa rebelde.

O meu folhetim tornava-se um agradável passeio, um doce espaciar, olhando à direita e à esquerda, medindo a calçada a passos lentos, e rindo-me das coisas engraçadas que me revelaria a minha luneta.

Assim, pois, não é um artigo *ao correr da pena* que ides hoje ler, mas um simples passeio, uma revista *ao correr dos olhos*.

AO CORRER DA PENA*

(trecho da crônica publicada em 4 de novembro de 1855)

(...) Com efeito, o que é um *ponto de interrogação*?

Se fizerdes esta pergunta a um gramático, ele vos atordoará os ouvidos durante uma hora com uma dissertação de arrepiar os cabelos.

Entretanto, não há coisa mais simples de definir do que um ponto de interrogação; basta olhar-lhe para a cara.

Vede: – ?

É um pequeno anzol.

Ora, para que serve um anzol?

Para pescar.

Portanto, bem definido, o ponto de interrogação é uma parte da oração que serve para *pescar*.

Exemplo:

1º Quereis *pescar* um segredo que o vosso amigo vos oculta, e que desejais saber; deitais o anzol disfarçadamente com a ponta da língua:

---

* Cf. ALENCAR, J. *Ao Correr da Pena*. In: *Teatro Completo*, Rio de Janeiro, Serviço Nacional de Teatro, 1977, v. 1, pp. 235-236.

— Meu amigo, será verdade o que me disseram, que andas apaixonado?

2º Quereis *pensar* na algibeira de algum sujeito uma centena de milréis; preparais o cordel e lançais o anzol de repente:

— O Sr. pode emprestar-me aí uns 200 mil-réis?

3º Quereis *pescar* algum peixe ou peixãozinho: requebrais os olhos, adoçais a voz, e por fim deitais o anzol:

Uma só palavra: tu me amas?

É preciso porém que se advirta numa coisa.

O ponto de interrogação é um anzol, e por conseguinte serve para pescar; mas tudo depende da isca que se lhe deita.

Nenhum *pescador* atira à água o seu anzol sem isca; ninguém portanto diz pura e simplesmente:

— Empresta-me 300 mil-réis?

Não; é preciso que o anzol leve a isca, e que esta isca seja daquelas que o peixe que se quer pescar goste de engolir.

Alguns pescadores costumam deitar um pouco de mel, e outros seguem o sistema dos índios que metiam dentro dágua certa erva que embebedava os peixes.

Assim, ou dizem:

— Meu amigo, o senhor, que é o pai dos pobres (isca), empresta-me 300 mil-réis? (anzol).

Ou então empregam o segundo meio:

— Será possível que o benfeitor da humanidade, o homem que todos apregoam como a generosidade personificada, que o cidadão mais popular e mais estimado desta terra, que o negociante que revolve todos os dias um aluvião de bilhetes de banco, me recuse a miserável quantia de 300 mil-réis?

No meio do discurso já o homem está tonto de tanto elogio, de maneira que, quando o outro lhe lança o anzol, é com certeza de trazer o peixe.

BIBLIOGRAFIA

ALENCAR, José de. *Ao Correr da Pena*. In: *Teatro Completo*, Rio de Janeiro, Serviço Nacional de Teatro, 1977, v. 1.

———. *O Crédito*. In: *Teatro Completo*, cit. v. 2.

———. *As Asas de um Anjo*. In: *Teatro Completo*, cit. v. 2.

———. *Como e Por que Sou Romancista*. In: *Romances Ilustrados de José de Alencar*, Rio de Janeiro, J. Olympio; Brasília, INL, 1977, v. 1.

———. *Cinco Minutos*. In: *Romances Ilustrados de José de Alencar*, cit. v. 6.

———. *A Viuvinha*. Idem.

———. *A Pata da Gazela*. Idem.

———. *Sonhos d'Ouro*. Idem.

———. *Encarnação*. Idem.

———. *Lucíola*. Cit. v. 7.

———. *Diva*. Idem.

———. *Senhora*. Idem.

ASSIS, Joaquim Maria Machado de. *Dom Casmurro*. Rio de Janeiro, Civilização Brasileira; Brasília, INL, 1975.

AUERBACH, Eric. *Mimesis*. São Paulo, Perspectiva, 1971. Estudos 2.

BACHELARD, Gaston. *A Poética do Espaço*. São Paulo, Abril Cultural, 1974.

——————. *O Direito de Sonhar*. São Paulo, Difel, 1985.

BAKHTIN, Mikhail. *Esthétique et Théorie du Roman*. Paris, Gallimard, 1978.

BALZAC, Honoré de. *O Pai Goriot*. In: *A Comédia Humana*. Porto Alegre, Globo, 1956, v. IV.

——————. *Ilusões Perdidas*. Cit. v. VII.

——————. *Esplendores e Misérias das Cortesãs*. Cit. v. IX.

BARTHES, Roland. "El Efecto de Realidad". In: VVAA, *Lo Verosímil*, 2. ed., Buenos Aires, Tiempo Contemporâneo, 1972.

——————. "Masculino, Feminino, Neutro". In: VVAA, *Masculino, Feminino, Neutro – Ensaios de Semiótica Narrativa*, Porto Alegre, Globo, 1976.

BATAILLE, Georges. *História do Olho*. São Paulo, Escrita, 1981.

BOOTH, Wayne. "Distance et Point de Vue". *Poétique* nº 4, Paris, Seuil, 1970.

BORGES, Jorge Luis. *El Hacedor*. Madrid, Aliança/ Emecé, 1972.

——————. *O Aleph*. Porto Alegre, Globo, 1972.

——————. e GUERRERO, Margherita. *O Livro dos Seres Imaginários*. Porto Alegre, Globo, 1981.

——————. *História da Eternidade*. Porto Alegre, Rio de Janeiro, Globo, 1982.

BOSI, Alfredo. *História Concisa da Literatura Brasileira*. 2. ed., São Paulo, Cultrix, 1972.

——————. *O Ser e o Tempo da Poesia*. São Paulo, Cultrix, 1977.

CAMPOS, Haroldo de. "Poesia e Modernidade: da Morte da Arte à Constelação"; publicado no suplemento dominical da *Folha de São Paulo (Folhetim)*, 7 de outubro de 1984.

CANDIDO, Antonio. *O Observador Literário*. São Paulo, Conselho Estadual de Cultura, 1960.

——————. *Formação da Literatura Brasileira*. 4. ed., São Paulo, Martins, 1971, 2 vols.

——————. "Timidez do Romance". Separata da *Revista Alfa* do Depto. de Letras da Fac. Filos., Ciências e Letras de Marília, 1972-1973.

——————. *Literatura e Sociedade*. 3. ed. revista, São Paulo, Companhia Editora Nacional, 1973.

——————. "Os Três Alencares". In: *Romances Ilustrados de José de Alencar*, 7. ed., Rio de Janeiro, J. Olympio; Brasília, INL, 1977, v. 7.

CANEVACCI, Massimo (org.). *Dialética da Família – Gênese, Estrutura e Dinâmica de uma Instituição Repressiva*. 2. ed., São Paulo, Brasiliense, 1982.

——————. *Dialética do Indivíduo – O Indivíduo na Natureza, História e Cultura*. São Paulo, Brasiliense, 1981.

CASTAGNINO, Raul. *Análise Literária*. São Paulo, Mestre Jou, 1971.

CHARLES, Michel. *Rhétorique de la Lecture*. Paris, Seuil, 1977.

CHAUÍ, Marilena. *Repressão Sexual – Essa Nossa (des)conhecida*. São Paulo, Brasiliense, 1984.

CONSTANT, Benjamin. *Adolphe*. Paris, Garnier/ Flammarion, 1965.

DERRIDA, Jacques. *A Escritura e a Diferença*. São Paulo, Perspectiva, 1971. Debates 49.

ECO, Umberto. *Apocalípticos e Integrados*. São Paulo, Perspectiva, 1970.

―――――. *Leitura do Texto Literário – Lector in Fabula*. Porto, Presença, 1973. [Trad. bras.: *Lector in Fabula*, São Paulo, Perspectiva, 1986. Estudos 89.]

ELIADE, Mircea. *Mito y Realidad*. 2. ed., Madrid, Guadarrama, 1973. [Trad. bras.: *Mito e Realidade*, São Paulo, Perspectiva, 1972. Debates 32]

―――――. *Tratado de História das Religiões*. Lisboa, Cosmos; Santos, Martins Fontes, 1977.

FARIA, Romildo Póvoa (org.). *Fundamentos de Astronomia*. Campinas, Papirus, 1982.

FREUD, Sigmund. *Três Ensaios sobre a Teoria da Sexualidade*. Rio de Janeiro, Imago, 1973.

FREYRE, Gilberto. *Sobrados e Mucambos*. 5. ed., Rio de Janeiro, J. Olympio; Brasília, INL, 1977, 2 vols.

GENETTE, Gérard. *Figures III*. Paris, Seuil, 1972.

HAMILTON, Edith. *A Mitologia*. 3. ed., Lisboa, Publicações Dom Quixote, 1983.

HAUSER, Arnold. *Maneirismo: A Crise da Renascença e o Surgimento da Arte Moderna*. São Paulo, Perspectiva/EDUSP, 1976. Stylus 2.

HOCKE, Gustav. *Maneirismo: O Mundo como Labirinto*. São Paulo, Perspectiva/ EDUSP, 1974. Debates 92.

HUGO, Victor. *Do Grotesco e do Sublime*. (Tradução do Prefácio de *Cromwell*). São Paulo, Perspectiva, 2. ed., 1988. Elos 5.

KAYSER, Wölfgang. "Qui Raconte le Roman?" *Poétique* nº 4, Paris, Seuil, 1970.

LACAN, Jacques. *Écrits*. Paris, Seuil, 1966. [Trad. bras. *Escritos*, São Paulo, Perspectiva, 1978. Debates 132.]

LEITE, Dante Moreira. *Psicologia e Literatura*. São Paulo, Conselho Estadual de Cultura, 1965.

―――――. *O Amor Romântico e Outros Temas*. 2. ed. (ampliada), São Paulo, Ed. Nacional/ EDUSP.

LUKÁCS, Georges. *La Théorie du Roman*. Paris, Gonthier, 1971.

MAGALHÃES JÚNIOR, Raimundo de. *José de Alencar e Sua Época*. 2. ed., Rio de Janeiro, Civilização Brasileira; Brasília, INL, 1977.

MARX, Karl. *O Capital*. 2. ed., Rio de Janeiro, Civilização Brasileira, 1971, v. I.

MATTA, Roberto da. "Para uma Teoria da Sacanagem: uma Reflexão sobre a Obra de Carlos Zéfiro". In: MARINHO, José Joaquim (org.). *A Arte Sacana de Carlos Zéfiro*, Rio de Janeiro, Marco Zero, 1983.

MÉRIMÉE, Prosper. *Histórias Imparciais*. São Paulo, Cultrix, 1959.

NUNES, Benedito. "A Visão Romântica". In: GUINSBURG, J (org.) *Romantismo*, São Paulo, Perspectiva/ Secretaria da Cultura, Ciência e Tecnologia do Estado de São Paulo, 1978. Stylus 3.

PAES, José Paulo. "Sterne ou o Horror à Linha Reta". In: STERNE, L *Tristram Shandy*. Rio de Janeiro, Nova Fronteira, 1984.

RICHARD, Jean-Pierre. *Études sur le Romantisme*. Paris, Seuil, 1970.

ROSSUM-GUYON, Françoise Van. "Point de Vue ou Perspective Narrative – Théories et Concepts Critiques". *Poétique* nº 4, Paris Seuil, 1970.

SANT'ANNA, Affonso Romano de. *O Canibalismo Amoroso – O Desejo e a Interdição em Nossa Cultura através da Poesia*. São Paulo, Brasiliense, 1984.

SANTOS, Jair Ferreira dos. "A Estratégia da Tigresa". *Folha de São Paulo (Folhetim)*, 3 de fevereiro de 1985.

SCHWARZ, Roberto. *Ao Vencedor as Batatas*. São Paulo, Duas Cidades 1977.

SUE, Eugène. *Los Misterios de Paris*. Barcelona, Bruguera, 1974.

SPALDING, Tarsilo Orpheu. *Dicionário de Mitologia*. São Paulo, Cultrix, s/d.

WILLEMART, Philippe. "Ainda o Proto-Texto – Argumentos para um novo campo de pesquisa". *Folha de São Paulo (Folhetim)*, 24 de junho de 1984.

COLEÇÃO DEBATES

A Personagem de Ficção, Antonio Candido e outros.
Informação, Linguagem, Comunicação, Décio Pignatari.
Balanço da Bossa e Outras Bossas, Augusto de Campos.
Obra Aberta, Umberto Eco.
Sexo e Temperamento, Margaret Mead.
Fim do Povo Judeu?, Georges Friedmann.
Texto/Contexto, Anatol Rosenfeld.
O Sentido e a Máscara, Gerd A. Bornheim.
Problemas da Física Moderna, W. Heisenberg e outros.
Distúrbios Emocionais e Anti-Semitismo, N. W. Ackermann e M. Jahoda.
Barroco Mineiro, Lourival Gomes Machado.
Kafka: Pró e Contra, Günther Anders.
Nova História e Novo Mundo, Frédéric Mauro.
As Estruturas Narrativas, Tzvetan Todorov.
Sociologia do Esporte, Georges Magnane.
A Arte no Horizonte do Provável, Haroldo de Campos.
O Dorso do Tigre, Benedito Nunes.
Quadro da Arquitetura no Brasil, Nestor G. Reis Filho.

19. *Apocalípticos e Integrados*, Umberto Eco.
20. *Babel & Antibabel*, Paulo Rónai.
21. *Planejamento no Brasil*, Betty Mindlin Lafer.
22. *Lingüística. Poética. Cinema*, Roman Jakobson.
23. *LSD*, John Cashman.
24. *Crítica e Verdade*, Roland Barthes.
25. *Raça e Ciência I*, Juan Comas e outros.
26. *Shazam!*, Álvaro de Moya.
27. *Artes Plásticas na Semana de 22*, Aracy Amaral.
28. *História e Ideologia*, Francisco Iglésias.
29. *Peru: da Oligarquia Econômica à Militar*, A. Pedroso d'Hor
30. *Pequena Estética*, Max Bense.
31. *O Socialismo Utópico*, Martin Buber.
32. *A Tragédia Grega*, Albin Lesky.
33. *Filosofia em Nova Chave*, Susanne K. Langer.
34. *Tradição, Ciência do Povo*, Luís da Câmara Cascudo.
35. *O Lúdico e as Projeções do Mundo Barroco*, Affonso Ávila
36. *Sartre*, Gerd A. Bornheim.
37. *Planejamento Urbano*, Le Corbusier.
38. *A Religião e o Surgimento do Capitalismo*, R. H. Tawney.
39. *A Poética de Maiakóvski*, Boris Schnaiderman.
40. *O Visível e o Invisível*, Marcel Merleau-Ponty.
41. *A Multidão Solitária*, David Riesman.
42. *Maiakóvski e o Teatro de Vanguarda*, A. M. Ripellino.
43. *A Grande Esperança do Século XX*, J. Fourastié.
44. *Contracomunicação*, Décio Pignatari.
45. *Unissexo*, Charles F. Winick.
46. *A Arte de Agora, Agora*, Herbert Read.
47. *Bauhaus: Novarquitetura*, Walter Gropius.
48. *Signos em Rotação*, Octavio Paz.
49. *A Escritura e a Diferença*, Jacques Derrida.
50. *Linguagem e Mito*, Ernst Cassirer.
51. *As Formas do Falso*, Walnice Nogueira Galvão.
52. *Mito e Realidade*, Mircea Eliade.
53. *O Trabalho em Migalhas*, Georges Friedmann.
54. *A Significação no Cinema*, Christian Metz.
55. *A Música Hoje*, Pierre Boulez.
56. *Raça e Ciência II*, L. C. Dunn e outros.
57. *Figuras*, Gérard Genette.
58. *Rumos de uma Cultura Tecnológica*, Abraham Moles.
59. *A Linguagem do Espaço e do Tempo*, Hugh M. Lacey.
60. *Formalismo e Futurismo*, Krystyna Pomorska.
61. *O Crisântemo e a Espada*, Ruth Benedict.
62. *Estética e História*, Bernard Berenson.
63. *Morada Paulista*, Luís Saia.
64. *Entre o Passado e o Futuro*, Hannah Arendt.
65. *Política Científica*, Heitor G. de Souza e outros.
66. *A Noite da Madrinha*, Sérgio Miceli.
67. *1822: Dimensões*, Carlos Guilherme Mota e outros.
68. *O Kitsch*, Abraham Moles.
69. *Estética e Filosofia*, Mikel Dufrenne.
70. *O Sistema dos Objetos*, Jean Baudrillard.
71. *A Arte na Era da Máquina*, Maxwell Fry.
72. *Teoria e Realidade*, Mario Bunge.
73. *A Nova Arte*, Gregory Battcock.
74. *O Cartaz*, Abraham Moles.

75. *A Prova de Gödel*, Ernest Nagel e James R. Newman.
76. *Psiquiatria e Antipsiquiatria*. David Cooper.
77. *A Caminho da Cidade*, Eunice Ribeiro Durhan.
78. *O Escorpião Encalacrado*, Davi Arrigucci Júnior.
79. *O Caminho Crítico*, Northrop Frye.
80. *Economia Colonial*, J. R. Amaral Lapa.
81. *Falência da Crítica*, Leyla Perrone Moisés.
82. *Lazer e Cultura Popular*, Joffre Dumazedier.
83. *Os Signos e a Crítica*, Cesare Segre.
84. *Introdução à Semanálise*, Julia Kristeva.
85. *Crises da República*, Hannah Arendt.
86. *Fórmula e Fábula*, Willi Bolle.
87. *Saída, Voz e Lealdade*, Albert Hirschman.
88. *Repensando a Antropologia*, E. R. Leach.
89. *Fenomenologia e Estruturalismo*, Andrea Bonomi.
90. *Limites do Crescimento*, Donella H. Meadows e outros (Clube de Roma).
91. *Manicômios, Prisões e Conventos*, Erving Goffman.
92. *Maneirismo: O Mundo como Labirinto*, Gustav R. Hocke.
93. *Semiótica e Literatura*, Décio Pignatari.
94. *Cozinhas, etc.*, Carlos A. C. Lemos.
95. *As Religiões dos Oprimidos*, Vittorio Lanternari.
96. *Os Três Estabelecimentos Humanos*, Le Corbusier.
97. *As Palavras sob as Palavras*, Jean Starobinski.
98. *Introdução à Literatura Fantástica*, Tzvetan Todorov.
99. *Significado nas Artes Visuais*, Erwin Panofsky.
100. *Vila Rica*, Sylvio de Vasconcellos.
101. *Tributação Indireta nas Economias em Desenvolvimento*, J. F. Due.
102. *Metáfora e Montagem*, Modesto Carone.
103. *Repertório*, Michel Butor.
104. *Valise de Cronópio*, Julio Cortázar.
105. *A Metáfora Crítica*, João Alexandre Barbosa.
106. *Mundo, Homem, Arte em Crise*, Mário Pedrosa.
107. *Ensaios Críticos e Filosóficos*, Ramón Xirau.
108. *Do Brasil à América*, Frédéric Mauro.
109. *O Jazz, do Rag ao Rock*, Joachim E. Berendt.
110. *Etc..., Etc... (Um Livro 100% Brasileiro)*, Blaise Cendrars.
111. *Território da Arquitetura*, Vittorio Gregotti.
112. *A Crise Mundial da Educação*, Philip H. Coombs.
113. *Teoria e Projeto na Primeira Era da Máquina*, Reyner Banham.
114. *O Substantivo e o Adjetivo*, Jorge Wilheim.
115. *A Estrutura das Revoluções Científicas*, Thomas S. Kuhn.
116. *A Bela Época do Cinema Brasileiro*, Vicente de Paula Araújo.
117. *Crise Regional e Planejamento*, Amélia Cohn.
118. *O Sistema Político Brasileiro*, Celso Lafer.
119. *Êxtase Religioso*, Ioan M. Lewis.
120. *Pureza e Perigo*, Mary Douglas.
121. *História, Corpo do Tempo*, José Honório Rodrigues.
122. *Escrito sobre um Corpo*, Severo Sarduy.
123. *Linguagem e Cinema*, Christian Metz.
124. *O Discurso Engenhoso*, Antonio José Saraiva.
125. *Psicanalisar*, Serge Leclaire.
126. *Magistrados e Feiticeiros na França do Século XVII*, R. Mandrou.
127. *O Teatro e sua Realidade*, Bernard Dort.
128. *A Cabala e seu Simbolismo*, Gershom G. Scholem.

129. *Sintaxe e Semântica na Gramática Transformacional*, A. Bonomi e G. Usberti.
130. *Conjunções e Disjunções*, Octavio Paz.
131. *Escritos sobre a História*, Fernand Braudel.
132. *Escritos*, Jacques Lacan.
133. *De Anita ao Museu*, Paulo Mendes de Almeida.
134. *A Operação do Texto*, Haroldo de Campos.
135. *Arquitetura, Industrialização e Desenvolvimento*, Paulo J. V. Br
136. *Poesia-Experiência*, Mário Faustino.
137. *Os Novos Realistas*, Pierre Restany.
138. *Semiologia do Teatro*, Org. J. Guinsburg e J. Teixeira Coelho Ne
139. *Arte-Educação no Brasil*, Ana Mae T. B. Barbosa.
140. *Borges: Uma Poética da Leitura*, Emir Rodríguez Monegal.
141. *O Fim de uma Tradição*, Robert W. Shirley.
142. *Sétima Arte: Um Culto Moderno*, Ismail Xavier.
143. *A Estética do Objetivo*, Aldo Tagliaferri.
144. *A Construção do Sentido na Arquitetura*, J. Teixeira Coelho Ne
145. *A Gramática do Decameron*, Tzvetan Todorov.
146. *Escravidão, Reforma e Imperialismo*, Richard Graham.
147. *História do Surrealismo*, Maurice Nadeau.
148. *Poder e Legitimidade*, José Eduardo Faria.
149. *Práxis do Cinema*, Noel Burch.
150. *As Estruturas e o Tempo*, Cesare Segre.
151. *A Poética do Silêncio*, Modesto Carone.
152. *Planejamento e Bem-Estar Social*, Henrique Rattner.
153. *Teatro Moderno*, Anatol Rosenfeld.
154. *Desenvolvimento e Construção Nacional*, S. N. Eisenstadt.
155. *Uma Literatura nos Trópicos*, Silviano Santiago.
156. *Cobra de Vidro*, Sérgio Buarque de Holanda.
157. *Testando o Leviathan*, Antonia Fernanda Pacca de Almeida Wri
158. *Do Diálogo e do Dialógico*, Martin Buber.
159. *Ensaios Lingüísticos*, Louis Hjelmslev.
160. *O Realismo Maravilhoso*, Irlemar Chiampi.
161. *Tentativas de Mitologia*, Sérgio Buarque de Holanda.
162. *Semiótica Russa*, Boris Schnaiderman.
163. *Salões, Circos e Cinemas de São Paulo*, Vicente de Paula Araújo.
164. *Sociologia Empírica do Lazer*, Joffre Dumazedier.
165. *Física e Filosofia*, Mario Bunge.
166. *O Teatro Ontem e Hoje*, Célia Berrettini.
167. *O Futurismo Italiano*, Org. Aurora Fornoni Bernardini.
168. *Semiótica, Informação e Comunicação*, J. Teixeira Coelho Netto
169. *Lacan: Operadores da Leitura*, Américo Vallejo e Lígia Cademartore Magalhães.
170. *Dos Murais de Portinari aos Espaços de Brasília*, Mário Pedrosa.
171. *O Lírico e o Trágico em Leopardi*, Helena Parente Cunha.
172. *A Criança e a FEBEM*, Marlene Guirado.
173. *Arquitetura Italiana em São Paulo*, Anita Salmoni e E. Debenedetti.
174. *Feitura das Artes*, José Neistein.
175. *Oficina: Do Teatro ao Te-Ato*, Armando Sérgio da Silva.
176. *Conversas com Igor Stravinski*, Robert Craft e Igor Stravinski.
177. *Arte como Medida*, Sheila Leirner.
178. *Nzinga*, Roy Glasgow.
179. *O Mito e o Herói no Moderno Teatro Brasileiro*, Anatol Rosenfe
180. *A Industrialização do Algodão na Cidade de São Paulo*, Maria Regina de M. Ciparrone Mello.

1. *Poesia com Coisas*, Marta Peixoto.
2. *Hierarquia e Riqueza na Sociedade Burguesa*, Adeline Daumard.
3. *Natureza e Sentido da Improvisação Teatral*, Sandra Chacra.
4. *O Pensamento Psicológico*, Anatol Rosenfeld.
5. *Mouros, Franceses e Judeus*, Luís da Câmara Cascudo.
6. *Tecnologia, Planejamento e Desenvolvimento Autônomo*, Francisco Sagasti.
7. *Mário Zanini e seu Tempo*, Alice Brill.
8. *O Brasil e a Crise Mundial*, Celso Lafer.
9. *Jogos Teatrais*, Ingrid Dormien Koudela.
10. *A Cidade e o Arquiteto*, Leonardo Benevolo.
11. *Visão Filosófica do Mundo*, Max Scheler.
12. *Stanislavski e o Teatro de Arte de Moscou*, J. Guinsburg.
13. *O Teatro Épico*, Anatol Rosenfeld.
14. *O Socialismo Religioso dos Essênios: A Comunidade de Qumran*, W. J. Tyloch.
15. *Poesia e Música*, Org. Carlos Daghlian.
16. *A Narrativa de Hugo de Carvalho Ramos*, Albertina Vicentini.
17. *Vida e História*, José Honório Rodrigues.
18. *As Ilusões da Modernidade*, João Alexandre Barbosa.
19. *Exercício Findo*, Décio de Almeida Prado.
20. *Marcel Duchamp: Engenheiro do Tempo Perdido*, Pierre Cabanne.
21. *Uma Consciência Feminista: Rosario Castellanos*, Beth Miller.
22. *Neolítico: Arte Moderna*, Ana Cláudia de Oliveira.
23. *Sobre Comunidade*, Martin Buber.
24. *O Heterotexto Pessoano*, José Augusto Seabra.
25. *O Que é uma Universidade?*, Luiz Jean Lauand.
26. *A Arte da Performance*, Jorge Glusberg.
27. *O Menino na Literatura Brasileira*, Vânia Maria Resende.
28. *Do Anti-Sionismo ao Anti-Semitismo*, Léon Poliakov.
29. *Da Arte e da Linguagem*, Alice Brill.
30. *A Linguagem da Sedução*, Org. de Ciro Marcondes Filho.
31. *O Teatro Brasileiro Moderno: 1930-1980*, Décio de Almeida Prado.
32. *Qorpo-Santo: Surrealismo ou Absurdo*, Eudinyr Fraga.
33. *Linguagem, Conhecimento, Ideologia*, Marcelo Dascal.
34. *A Voragem do Olhar*, Regina Lúcia Pontieri.
35. *Notas para uma Definição de Cultura*, T. S. Eliot.
36. *Guimarães Rosa: As Paragens Mágicas*, Irene J. G. Simões.
37. *Música Hoje 2*, Pierre Boulez.
38. *Borges & Guimarães*, Vera Mascarenhas de Campos.
39. *Performance como Linguagem*, Renato Cohen.
40. *Walter Benjamin — A História de uma Amizade*, Gershon Scholem.

Este livro foi impresso na
LIS GRÁFICA E EDITORA LTDA.
Rua Visconde de Parnaíba, 2.753 - Belenzinho
CEP 03045 - São Paulo - SP - Fone: 292-5666
com filmes fornecidos pelo editor.